相場に勝つ

ローソク足チャートの読み方

小澤 實

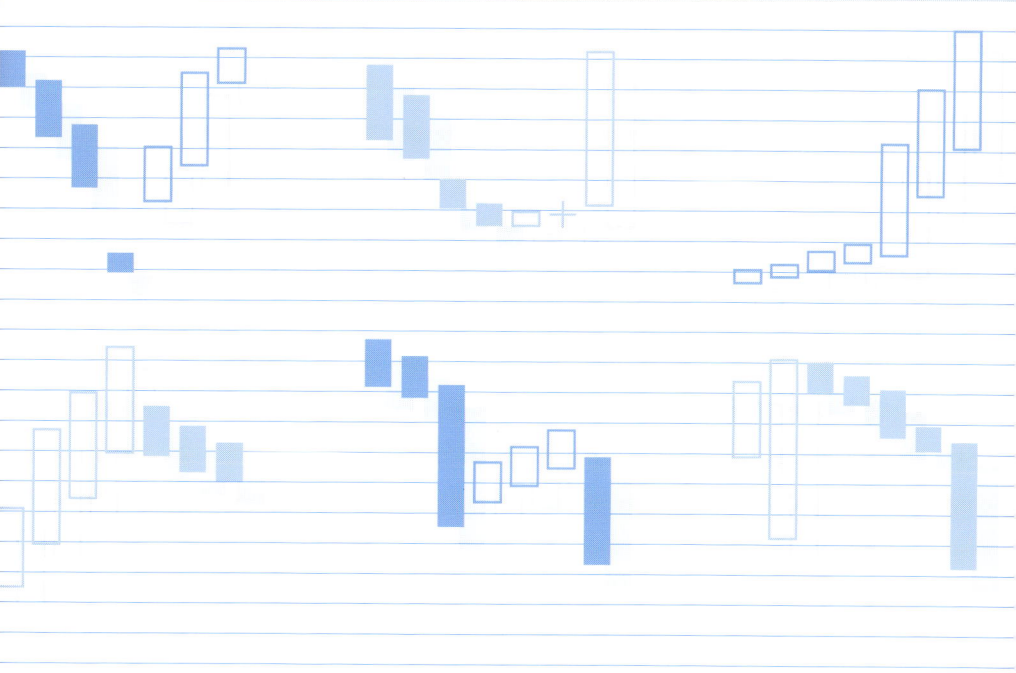

日本実業出版社

まえがき

　「チャート（Chart）」は、本来「海図」のことを指します。すなわち、船舶が航海するために必要な幾多の情報（水深・潮流・海岸線など）を記載した海に関する地図のことです。
　かつてヨーロッパが大航海時代を迎えていた頃、水先案内人（Navigator）は船主にとってまさに宝といえる存在でした。なぜなら、大海原の中、身を賭して舵をきった彼らの航海技術の優劣が、航海先で巨万の富を捕捉できるか否かの明暗を分けるものであったからです。
　なかには、永年培った勘のみを頼りに航行を続ける者や船舶の性能に全面的に依存する者、あるいは船頭ばかりを寄せ集めた船などもあったようですが、大半の者は志を果たすことができなかったと伝えられています。
　真に優れたNavigatorは、卓越した技術・積み重ねた経験を有していた上に精緻に設計された船舶までも貸与されていたといわれています。しかし、決して見逃すことができないのは、彼らは信頼に足る「海図＝チャート」を常に携えていたという歴史的事実なのです。

　わたしたちが、市場という混沌とした荒海を航海するに際し要求されるものは、航路を的確に指し示す「より優れたチャート」であり、かつそれを「自在に使いこなすための術」といえましょう。

　ところで、日本ではチャートのルーツを江戸時代の米(コメ)相場に求めることができますが、それは米が取引された値段の推移を追っただけの極めてシンプルなものであったようです。品種改良技術などほとんどなかった当時、収穫は天候の影響を大きく受けました。豊作・不作が年によってめまぐるしく入れ替わるため、先見の明のあった商人は豊

作米を安値で仕入れ貯蔵し、不作の年にはそれらを高値で売りさばき巨額の富を手にしたといわれています。やがて、そうした商人が増えることで取引を行なう際の駆け引きも生まれ、米市場は次第に大きくなり、同時に相場を読み解くツールの必要性もまた高まっていったのです。

　本書で取り上げた「ローソク足」チャートは、こうした流れをくんで明治期に発案され、今では最もポピュラーなチャートのひとつとなっています。

　一方、現在これだけ投資や投機取引が活発な米国においてすら、チャートがチャールズ・ダウによって発明されたのは1800年代後期といわれています。ここからもチャートに関して日本がいかに先進国であったかをうかがい知ることができます。

　さて、チャートに関する書籍はこれまで多々発刊され、あらゆるチャートについて基本を大雑把に紹介したものから、経験者ですら理解し難いほどにマニアックなものまで、バラエティに富んでいます。

　しかし、本書は「ローソク足」に絞り込みました。なぜなら、それは売り手と買い手の勢力関係、市場に存在する建て玉（ポジション）の需給バランス、材料出現後の相場の反応度合いなどが凝縮されるのみならず、投資家心理のうつろいを最も端的に表現する類い稀なチャートだからです。

　加えて、本書の主要テーマである「いかにすれば他の投資家に先駆けて売買を実行し、利益を極大化することができるのか」を追求するには、投資家の行動を心理的側面から分析することが特に不可欠であり、そのための客観的なアプローチ手法として「ローソク足」チャートが最適なものであると考えるからです。

　なお、本書は、初めて相場と向き合う方からより専門技術の向上を目指す方まで幅広い層を対象とするため、読者に最も馴染みの深い株

式市場に軸足を置いて解説しています。しかし、実際はチャートの特性上、あらゆる相場に即座に活用できる内容になっています。為替相場や商品先物などで「ローソク足」を活用したい方は、「株式」をそれらの取引対象（原資産）に置き換えてお読みください。

　本書は4つの章からなっています。
　第1章では、相場の盛衰（サイクル）と投資家心理・行動とのあいだのタイムラグに焦点を当てました。なぜ、投資家は相場の天井近辺で大口の買い注文を持ち込み、大底付近で大量の売却に動く傾向があるのかなどについて、モデルを用いて分析し、その要因究明を試みています。
　第2章では、「ローソク足」チャートの基本型を解説し、第3章では、相場の世界で「勝ち組」となるための技術的な秘訣を同チャートをベースにいくつか紹介しました。
　最後に第4章では、投資家心理とその行動、今後の相場動向の暗示など、相場のエッセンスが高い密度で凝縮された「ローソク足」チャートの複合線を、相場の盛衰（サイクル）に沿って紹介するとともに、その一つひとつに詳細な解説を加えました。
　特に、投資家の心理状態の微妙な変化やその変化が結果としてもたらす売買行為が、いかに大きくその後の相場の形成を左右しているかについて、理解を深めていただける内容になったと自負しています。

　本書が、読者にとって真に有益なNavigatorとなることを願ってやみません。

2002年6月

小澤　實

相場に勝つローソク足チャートの読み方

もくじ

まえがき

第1章　投資家の心理・行動と相場サイクル

01 先人の知恵が伝えるもの ……………………………………………… 10
　　投資家の思惑の差が相場の変動を生む　10
　　「ローソク足」チャートで投資家心理を先読み　10

02 投資家心理の遅行性 …………………………………………………… 12
　　「取るべき行動」を補足すれば格言の意味が鮮明に　12
　　時として相場はファンダメンタルズから大きく乖離する　12

03 予断のワナ ……………………………………………………………… 15
　　「見たいものしか見ない」投資家心理　15
　　価格上昇と買い建て残高は正の相関関係に　16

04 バンド・ワゴン効果 …………………………………………………… 17
　　「買えば上がる。上がるから買う」という群集心理　17
　　高値で買った投資家ほど下落への対応は遅れがち　17

05　高値づかみの恐怖………………………………………………19
　　　相場盛衰のモデル　19
　　　単位時間当りの収益率変化をグラフにすると　20
　　　単位時間当り収益率の低下は早い段階で始まっている　22
　06　含み損はパニック売りの引き金…………………………………23
　　　移動平均線を描いてみよう　23
　　　実勢価格が移動平均を下回ると含み損が急拡大　23
　　　投資家行動を心理面から分析し、勝率アップを目指せ　25

第2章　「ローソク足」チャートは投資家心理を語る

　01　チャートは神の声……………………………………………………28
　　　このチャートは何でしょう？　28
　　　あなたの「大局的相場観」は本当に大局的か？　29
　　　その後のチャートを加えれば一目瞭然　30
　　　天井打ちを警告していた「神の声」　31
　　　「右肩上がり」が終わり、株式投資のスタイルは変わった　32
　02　ローソクの炎の揺らめきが伝えるもの…………………………33
　　　ローソクの一生と相場の一生　33
　03　「ローソク足」とは……………………………………………………34
　　　4本値が一目でわかる「足型」　34
　　　まず、ローソク足の基本「単線」をマスターしよう　35
　04　「ローソク足」の基本型（単線）……………………………………36
　　　（1）大陽線　36
　　　（2）大陰線　37
　　　（3）小陽線　38
　　　（4）小陰線　39
　　　（5）十字線　40
　　　投資家心理の変化に注目　41
　　　投資家心理がさらに正確にわかる「複合線」　42

第3章 「勝ち組」への秘訣
01 最も重要な価格は「引け値（終値）」……………………44
「引け値」は大多数の市場参加者が適正と認めた価格　44
ヒゲの長さで引けにかけての売り・買い圧力がわかる　45
02 売買はタイミングがすべて……………………………46
「機敏な行動」は必要だが、「あせり」は禁物　46
「行き詰まり線」を知っているかどうかで大違い　46
03 足型の出現位置に注意…………………………………48
「大陽線」が出ればいつも買いとは限らない　48
同じ大陽線でも出現位置で意味合いがまったく異なる　49

第4章 「ローソク足」チャートの複合線はこう読む
01 底入れを暗示する足型……………………………………52
（1）三空叩き込み　52
（2）三手大陰線　54
（3）最後の抱き陰線　56
（4）明けの明星　58
（5）捨て子底　60
（6）大陰線のはらみ寄せ　62
（7）たくり線　64
（8）勢力線　66
（9）陰の陰はらみ　68
（10）放れ五手黒一本底　70
（11）やぐら底　72
（12）小幅上放れ黒線　74
（13）放れ七手の変化底　76
（14）連続下げ放れ三つ星　78
（15）逆襲線　80
（16）抱き陽線　82
（17）寄り切り陽線　84

02 上昇相場の幼少期に現われる足型 …………………………86
 （1）赤三兵　86
 （2）下位の陽線五本　88
 （3）押え込み線　90
 （4）上げの差し込み線　92
 （5）上げ三法　94
 （6）カブセの上抜け　96
 （7）上伸途上の連続タスキ　98
 （8）上放れタスキ　100
 （9）上伸途上のクロス　102
 （10）上げの三つ星　104

03 上昇相場の成熟期に現われる足型 …………………………106
 （1）並び赤　106
 （2）上放れ陰線二本連続　108
 （3）上位の連続大陽線　110
 （4）波高い線　112

04 天井打ちを暗示する足型 ……………………………………114
 （1）三空踏み上げ　114
 （2）新値八手利食い線　116
 （3）三手放れ寄せ線　118
 （4）行き詰まり線　120
 （5）三羽ガラス　122
 （6）首吊り線　124
 （7）上位の上放れ陰線　126
 （8）宵の明星　128
 （9）陽の陽はらみ　130
 （10）最後の抱き陽線　132
 （11）抱き陰線　134
 （12）つたい線の打ち返し　136
 （13）放れ五手赤一本　138

（14）放れ七手大黒　140
05　天井打ち後の下落局面で売り逃げるために ……………… 142
　　（1）差し込み線　142
　　（2）下放れ三手　144
　　（3）下げ三法　146
　　（4）三手打ち　148
　　（5）下落途上の連続タスキ　150
　　（6）化け線　152
　　（7）下げ足のクロス　154
　　（8）下放れ黒二本　156
　　（9）下げの三つ星　158
　　（10）上位の陰線五本　160
　　（11）寄り切り陰線　162

あとがき
さくいん

カバーデザイン／水野敬一
本文DTP／ダーツ
チャート提供／投資レーダー

第1章
投資家の心理・行動と相場サイクル

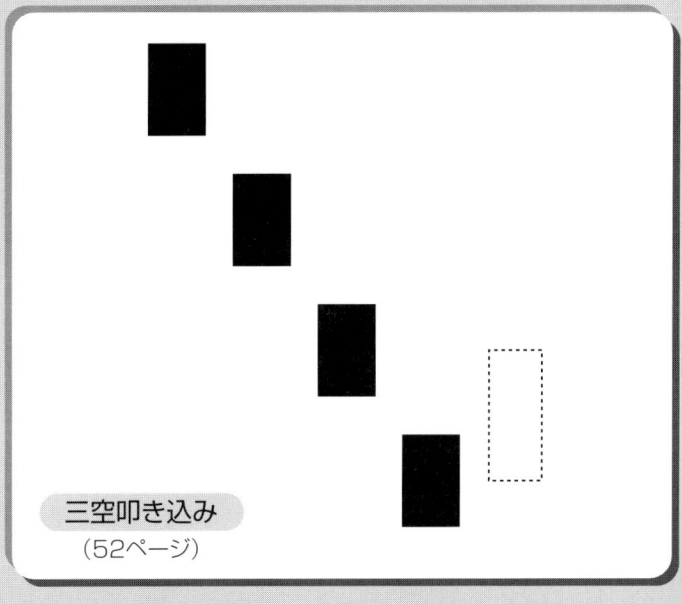

三空叩き込み
(52ページ)

01 先人の知恵が伝えるもの

●投資家の思惑の差が相場の変動を生む

「相場は悲観の中に生まれ、懐疑の中に育つ。楽観の中で成熟し、幸福感の中で消えてゆく」

株式市場をはじめとする相場の世界では、このような格言や、格言めいた言い回しが好んで使われます。過去の経験則から生まれたこうした表現には、先人の知恵が凝縮されており、相場の真理を見出すことができるからです。

相場は、政治・経済・国際情勢など様々な要因によって揺れ動きます。これらの要因が投資家に心理的な影響を与え、次の行動を促すことで需給バランスに傾きが生じ、株式などの価格が上下していきます。そして、その上下動がさらに他の投資家の心理状態や投資行動を変化させる……といったように、相場は循環的な構造をもっています。

一方で、市場に存在する無数の買い手と売り手は、単に漫然と売買を行なっているわけではなく、（損失の極小化を含めた）利益の極大化を常に念頭に置いて行動しています。つまり、買い手はより安く株式などを購入しようとし、売り手はより高い水準で売却しようとします。この買い手と売り手の思惑の差が市場の需要と供給のバランスを常時不安定にさせ、相場の変動を生んでいるのです。

●「ローソク足」チャートで投資家心理を先読み

ところで、冒頭の格言の他に、相場における比較的ポピュラーな言い回しとして次のようなものがあります。

「麦藁帽子は冬に買え」

「奢るなよ、丸い月夜もただ一夜」

すでにお気付きの方もいるかもしれませんが、先人の知恵の集大成である相場の格言には、相場の騰落と投資家の心理のあいだに時間的なズレが

生じていることや売買のタイミングについて注意を喚起するものが数多く見られます。

なぜ、これらの点がことさら強調されるのでしょうか。相場の世界は一見、安く買って高く売る、高く売って安く買うといういかにも単純な行動が求められているかのように見えます。が、実際は心理的な動揺から売買の好機を逃してしまうことも多くあるのです。どうやらここに「相場で勝ち組」になるための秘訣が潜んでいそうです。

売買の巧拙は収益パフォーマンスに大きな差異を生じさせますが、なかでも機を捉えた売買ができるかどうかが決定的な要素となっています。多くの投資家が絶好のタイミングを逃してしまうタイムギャップ（遅行性）に陥っているとすれば、これを埋めることで、他の投資家に先駆けて行動を起こし、収益を向上させることが可能となるからです。このとき、投資家心理と売買タイミングを教えてくれる「先人の知恵」を拝借し、駆使しない手はありません。

このようなタイムギャップは、投資家自身の心（主として利益追求への飽くなき欲望）が自ら作り上げてしまうものではないかと推測されます。本書では、相場の盛衰（サイクル）と投資家の心理・行動パターンとの関連性を探ることにより、勝ち組に回る方策を考察していきます。

しかしながら、投資家心理を推察し実戦に活かすにしても心理状態を客観的に判断するためのモノサシが必要です。本書ではこれを「ローソク足」チャートに求めました。

「ローソク足」チャートには、相場の基調の強弱、売り手と買い手の勢力関係、市場に存在する建て玉[注]の需給バランス、材料出現後の反応度合い、そして投資家の心理状態までもが凝集され、刻々とシグナルを発しています。

投資家の心理状態をこれほど素直に表わしてくれるものは世界広しといえども他にありません。ここから投資家心理を先読みすることで、他者より一歩も二歩も先んじて、大底を確認して仕込みを行ない、多数の投資家がしびれを切らして売り急ぐ中、悠然と買い増しを実行し、上昇期待のユーフォリア（幸福感）が蔓延しているあいだでも極めて冷静に利食い売りを持ち込むことができるのです。

【建て玉】決済が未了の約定に係る数量。例えば株式の信用取引での買いや売りは将来、反対売買により決済されるため、信用買いの数量を「買い建て玉」、信用売り（カラ売り）の数量を「売り建て玉」といいます。

02 投資家心理の遅行性

●「取るべき行動」を補足すれば格言の意味が鮮明に

さて、冒頭に掲げた相場格言ですが、これは次のように解釈することができます。

「多くの投資家に相場の先行きについて悲観的な見通しが広がっている間にこそ、買い場としてのチャンスが芽生えている。相場がやや持ち直してくると投資家たちは相場の底入れを意識し始めるが、依然として上昇には懐疑的である。ここは買い増しを行なうべきところである。多くの投資家に楽観的な見通しが広がれば、本格的な上昇局面となる。しかし同時に、天井は近いと知るべし。そして投資家たちが永遠の上昇を信じ幸福感に酔っている間に、すべてを売りなさい。相場は間もなく大きく値を下げるであろうから……」

オリジナルの言い回しの中には、取るべき行動を促す表現が組み込まれていないものの、あえて解釈の中に補記してみました。これにより、格言の本来いわんとするところがより鮮明に浮かび上がってきます。

また、これを右ページ上の図1のようにある企業の株価の動きとしてモデル化してみると、投資家心理が相場のサイクルに遅行している様子が瞭然となります。

●時として相場はファンダメンタルズから大きく乖離する

図1の中で、B－CおよびC－Dについては比較的わかりやすいプロセスかと思います。しかし、A－BおよびD－Eのプロセスについては、投資家の心理状態と株価の変動が背反するため、「なぜか」という疑問が生じます。

この疑問に答えるために、モデルに「一株当り収益の推移」を追記して解説していきましょう（右ページ図2）。この場合、「一株当り収益」がこの企業の本質的なファンダメンタルズ[注]であると仮定することにします。

【ファンダメンタルズ】基礎的価値。株式（企業）のファンダメンタルズとしては、「一株当り収益」のほかに「一株当り株主資本」もあります。ちなみに、「経済のファンダメンタルズ」といえば、GDPや失業率、金利、為替レートなど経済の諸条件を指します。

第1章◆投資家の心理・行動と相場サイクル

◆図1：投資家心理と相場のサイクル

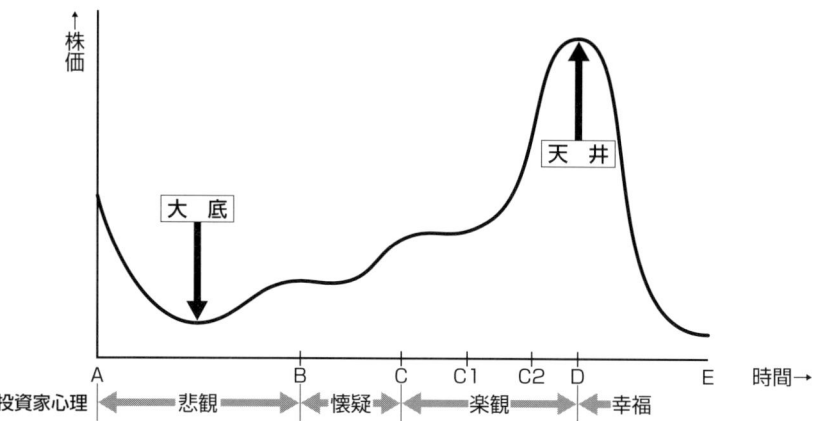

A-B：投資家のあいだでは**悲観的**な見通しが大勢を占めているが、価格は下値模索後**底打ち**。
B-C：底入れの可能性が出てきたものの、**懐疑的**な見方もあり価格の**上昇速度は鈍い**。
C-D：投資家に**楽観的**な見通しが蔓延、上昇期待がトレンド（基調）を強化し、**価格は急上昇**をみせる。
D-E：大半の投資家が一段高を信じ**幸福感**に酔う。しかし期待に反し価格は**横ばいから急落**へと向かう。

◆図2：一株当り収益を追記したモデル

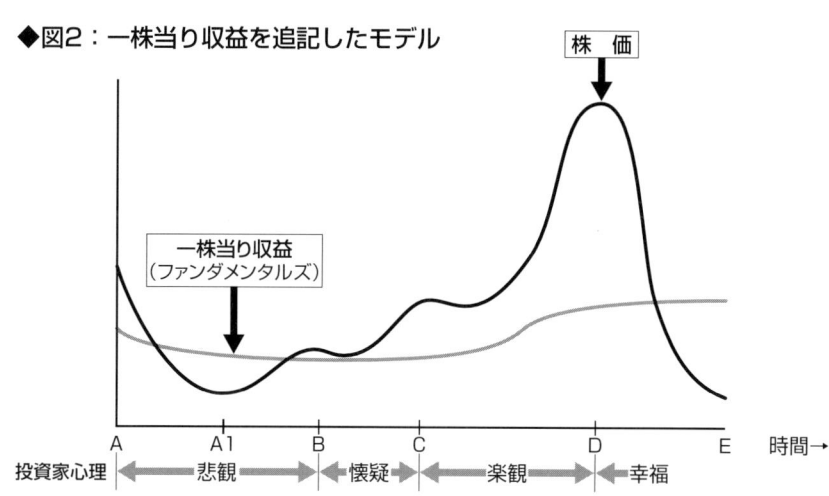

13

株価は企業の価値が金額表示されたものですが、その価値には将来の業績見通しなどの不確定要因も加味されるため、関連する様々なニュース・情報、あるいはうわさなどが投資家たちの行動心理を微妙に揺れ動かします。したがって、思惑などが値動きにバイアスをかけることも多く、株価水準は時としてファンダメンタルズ（ここでは一株当り収益）から大きく乖離してしまうことがあります。
　一般的には、株価は一株当り収益の減少局面で下落バイアスがかかりやすく、増加局面では上昇バイアスがかかりやすくなることが知られています。
　これは、どのようなことを示しているかというと、図２のＡ１点において株価水準はファンダメンタルズ対比で相当割安に、一方Ｄ点においては相当割高になっているということです。
　売買が成立しないと相場は成り立ちませんから、Ａ１点への到達は将来の上昇に見切りをつけた投資家からの投げ売りなどにより、市場の需給バランスが極端に供給過多に傾いたために、株価が大きく押し下げられたものであり、Ｄ点ではその到達直前に投資家からの買い注文が殺到したことで需給バランスが極端に需要超過となったために、株価水準が大幅に切り上がったものとみなすことができます。
　では、なぜ投資家は相場の底付近で大口の売り注文を持ち込み、天井圏で買い注文を殺到させたのでしょうか。
　ここに投資家が一般的に陥ってしまいがちなワナが存在しているのです。

03　予断のワナ

● 「見たいものしか見ない」投資家心理

　「予断のワナ」——あまり聞き慣れない言葉かもしれませんが、端的にいえば「見たいものしか見ない」という心理状態が形成され、次第に自らの行動の正当性を強化していくという現象です。つまり、将来起こり得ることを期待すると、新たな情報の検索や解釈がその期待に沿うようにしか行なわれなくなってしまうという傾向のことを指します。

　例えば、株式市場で先高期待が高まってくると、投資家の心理には、景気の拡大や企業の好決算など株価を押し上げる材料ばかりに目を向けてしまう一方で、当局による金融引き締め観測などの悪材料を隅に追いやってしまうというバイアスがかかり、それに基づく行動をしがちです。

　では、13ページの図１に戻り、株価が天井を形成するＤ点到達前後の状況を例に、「予断のワナ」が投資家心理にどのようなバイアスをかけているのかを考えてみましょう。

　それまで相場はほぼ一本調子に上昇してきました。特にＣ点以降は「急騰」といえる状況ですので、Ｄ点に近づいてもなお、値幅についてはむろんのこと、速度についてもＣ点以降と同様のスピードを期待します。一方で、冷静な投資家であれば適宜行なっているであろうファンダメンタルズとの乖離幅や上昇速度の持続性などの検証作業[注]はなおざりにされてしまいます。

　さらに、Ｄ点が近づくにつれ、株価の先高を見込む投資家が増え、安易な予測が共有されやすい環境が醸成されることに加え、「ここまでの上昇相場でひと儲けした」といった成功体験なども語られるようになるため、利益獲得のためにますます「見たいものしか見ない」という心理状態が増幅されます。

【注】ファンダメンタルズからの過大な上方乖離、上昇速度の鈍化は、冷静に見れば、相場が天井を打つ前触れと見なせます。

●価格上昇と買い建て残高は正の相関関係に

　ところで、価格の上昇と市場の買い建て残高（ロングポジション）[注]との間には、通常正の相関関係があります。すなわち、価格の上昇に従い、新規参入者からの買い注文が集まることで、買い建て残高は加速度的に増加します。

◆図3：図1のC－D間の価格の上昇と買い建て残高

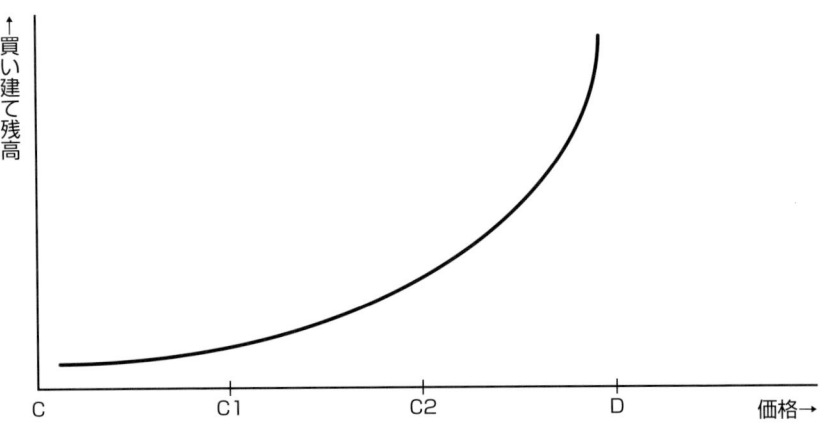

これは次のことを意味します。

　株価がファンダメンタルズから乖離して上昇すればするほど、一段高を期待する投資家が増え、結果として市場の買い建て残高が急速に増加していきます。よってD点近辺では、ロングポジションが相当規模まで膨らんだ状態が出来上がることになります。

　これは、次に紹介するある種の群集心理によって説明できます。

【買い建て残高】市場における「買い建て玉」（11ページ注参照）のある時点での総数。相場用語では「買い」を「ロング」、「建て玉」をもっている状態を「ポジション」といい、買い建てている状態やその数量を「ロングポジション」といいます。

04 バンド・ワゴン効果

●「買えば上がる。上がるから買う」という群集心理

　バンド・ワゴンとは、パレードなどで見かける楽隊を乗せた車のことです。賑やかに演奏する楽隊が目の前を通り過ぎると、沿道の人々は思わずつられてゾロゾロと後をついていってしまいます。それを見かけた人が何かあるのかと一団に加わり、またその集団を見かけた人々が……と続くことで、巨大な群集が形成されます。これは個々人の意見や行動が、多数者の意見や行動に引きずられやすいという群集心理的現象であり、バンド・ワゴン効果と呼ばれています。

　2000年前後のIT（情報技術）銘柄の人気などはバンド・ワゴン効果の典型です。市場を支配していた「IT関連なら買えば上がる。上がるから買う」というセンチメントにつられて、個々の銘柄について特段詳しい分析を行なうこともなく、相場の天井圏で大量に購入してしまった投資家も多いと聞きます。

●高値で買った投資家ほど下落への対応は遅れがち

　次に、価格の変化と売買件数の関係を図に描くと、通常は放物線の形になります。

　図1のモデルを例にとれば、C点以降、一定期間は活発な取引が行なわれるため、株価の上昇に比例するように売買件数（出来高）も増加していきますが、D点近辺では逆に売買件数が急激に減少してしまいます（この間の株価と売買件数の関係をモデル化すると、次ページ図4のようになります）。

　これは、新規参入者からの買い注文が入る一方で、多数の投資家はすでに株式を購入しており、高値追い[注]こそ行なわないものの先高観から売り注文を手控えているために、売買が成立しにくい環境になってしまったことが要因であると推測されます。

【高値追い】上昇相場の中で、さらに高値があると考え、高値での買いを続けること。

◆図4：価格の上昇と売買件数

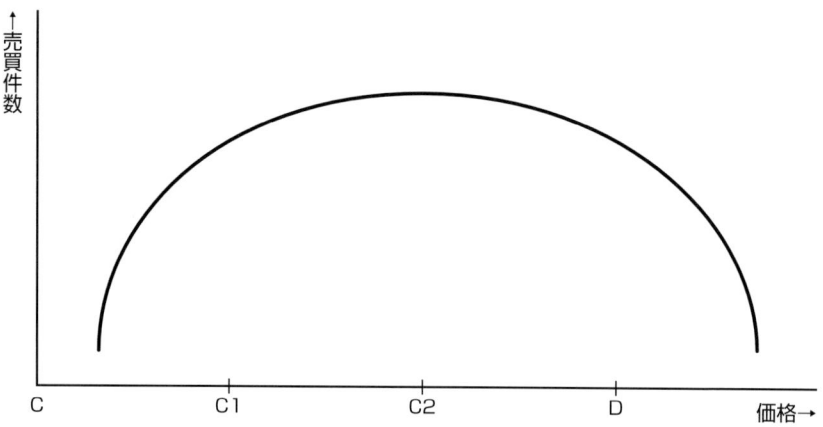

　売買件数の減少を機に単位時間当りの株価上昇率（買い手の投資家にとっての収益向上率）が鈍化してくると、次第に利食い売りなどが持ち込まれ始めます。
　一般的には、利食い売りは相対的に持ち値のよい（購入価格の安い）投資家から入りやすく、図1でいえばＣ２点以前に購入できていた投資家からということになり、Ｃ２点以降の購入者は対応が遅れがちになります。なぜなら、ここにも先に説明した「予断のワナ」が潜んでいるからです。Ｃ２点以降の市場参加者は「買いさえすれば儲かる」というやや盲信めいたセンチメントが出来上がってからの参入者であり、相場の支援材料ばかりに目を向け、悪材料を軽視あるいは無視してしまうことで、自己の行動と期待（株式を購入したという事実と上昇するという期待）を正当化し、基本的に相場は理屈上上がるか下がるか、つまり上昇確率は50％でしかあり得ないにもかかわらず、その確率を心の中で勝手に歪めてしまっているのです。

05 高値づかみの恐怖

　すべての市場参加者は、株式などを安く購入し高く売却することで利益の極大化を目指していることに、疑いの余地はありません。しかし、相場の底値で資金を投入できる投資家はほんの一握りにすぎず、大多数の投資家は市場に楽観的な見通しが浸透してきてはじめて行動を起こしているようです。相場の先行きについて先高期待が高まれば高まるほど、投資家たちの買い注文が集まり、相場の基調（トレンド）は強化されます。これにより、これまで株式の購入を躊躇していた投資家も、市場に参入しやすい環境が整ったと判断し、行動を開始するのです。
　しかしながら、こうした環境の裏に大きな陥穽が潜んでいることは、ここまでの指摘でおわかりいただいているでしょう。

●相場盛衰のモデル

　次に、上昇相場が成熟してきた段階ではじめて株式を購入した投資家が、上昇期待と現実の値動きとの狭間で苦悩する姿などを、相場の盛衰と単位時間当りの収益率のモデルを用いて考察してみます。まず、現実の相場の世界をモデル化するために、次のような前提条件を設定します。

［前提条件］
① 相場のサイクル（V点→Z点）は400日。日々の引け値（終値）を結ぶと各点間は必ず直線となる。
② 相場には、100日ごとに転機が訪れる。具体的には、W点に到達後相場の上昇速度はV点からW点の期間の2倍に、さらにX点からY点に至る過程でもW点からX点までの速度の2倍となる。
　そして、相場はY点でピークを迎えた後、Z点に向け、価格がV点と等しくなるまで急落し、その後横ばいとなる。
③ 小文字のアルファベットは、それぞれ大文字のアルファベットの翌日から起算し50日目とする。
④ V点（相場の起点）における株価は100とする。
⑤ ある時点の引け値で株式を購入した投資家は必ず50日後の引け値で売却するが、保有期間中は売買を一切行なわない。
⑥ 株式を購入後、保有期間中の資金調達コストなどは考慮に入れない。

これらの前提の下で、相場の盛衰をモデル化すると右ページの上段のようになります。
　V点にて100で取引された相場は緩やかに上昇し、W点（100日目）では300となります。そして上げ足を速めX点（200日目）では700に、300日目には実に1,500（Y点）までの上昇を演じます。そして直後から急落し、天井を打ってからわずか100日間（Z点）で株価は100に戻ってしまいます。

●単位時間当りの収益率変化をグラフにすると

　次に、この相場の盛衰モデルを用い、単位時間当りの収益率の変化をグラフ化したものが下段の図となります。詳細を具体的に解説しましょう。
　V点で株式を購入し50日目（ｖ点）で売却した投資家の単位時間当りの収益率（ここでは、一日当りの単純平均株価上昇値）は、「（ｖ点における株価－V点における株価）÷保有日数」で算出されますから、（200－100）÷50で、2.0となります。なお、V点からｖ点までのどの時点で購入した投資家も、単位時間当りの収益率は2.0で変わりません。
　ところが、ｖ点を過ぎると、この値はW点まで日々変化していきます。
　例えば、ｖ点の翌日に株式を購入した投資家の収益率は、（304－202）÷50で、2.04となり、10日経過後に購入した投資家の収益率は、（340－220）÷50で、2.4となります。
　すなわち、ｖ点からの経過日数をnとすると、W点に至るまでの収益率は、$\{(300+4 \times n) - (200+2 \times n)\} \div 50$という算式になります。
　同様に、各期間の単位時間当りの収益率は以下のようになります（nは各小文字のアルファベット点からの経過日数）。

・W点→ｗ点：4.0で一定。
・ｗ点→X点：$\{(700+8 \times n) - (500+4 \times n)\} \div 50$で算出される値。
・X点→ｘ点：8.0で一定。
・ｘ点→Y点：$\{(1,500+(-14) \times n) - (1,100+8 \times n)\} \div 50$で算出される値。
・Y点→ｙ点：－14.0で一定。
・ｙ点→Z点：$\{(100+0 \times n) - (800+(-14) \times n)\} \div 50$で算出される値。

◆図5：特定条件下での相場の盛衰モデル

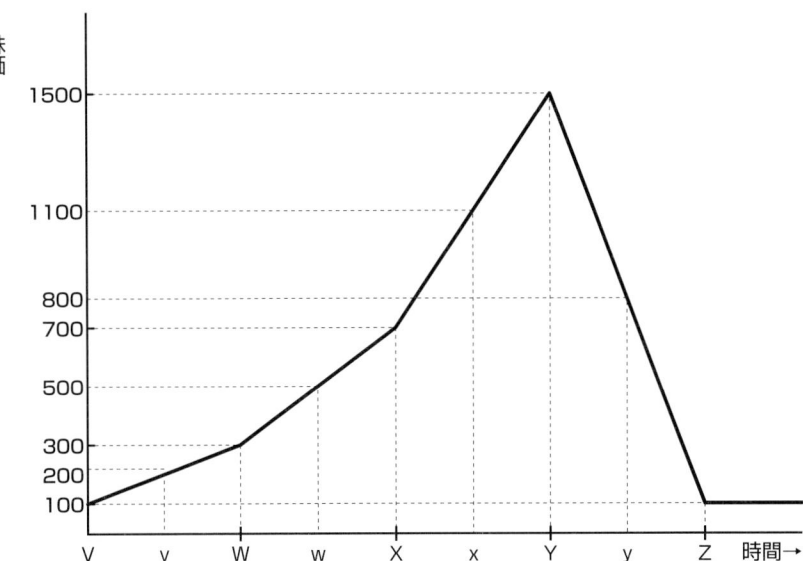

◆図6：図5のモデルでの単位時間当り収益率変化の推移

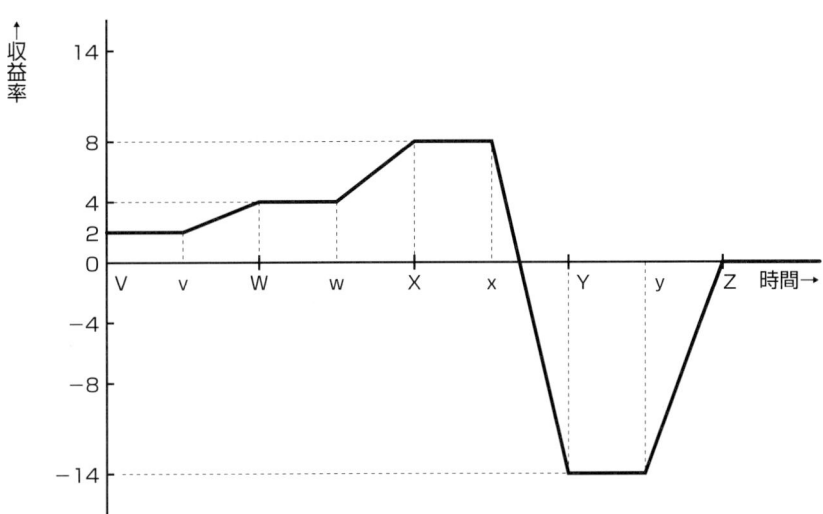

●単位時間当り収益率の低下は早い段階で始まっている

　nに具体的な数値を挿入してみると、いくつか興味深い点に気づきます。

　V点からY点までをとると、株価は300日間で1,400上昇したため、一日当りの単純平均価格上昇値は約4.67になります。この値はw点を9日経過した時点で行動した投資家の4.72およびx点を7日経過後の4.92とほぼ等しくなります。よって、この期間中に株式を購入し50日後に売却した投資家は効率よく利益を上げることができたことになります。

　一方で、驚くことにx点を19日経過した時点から株式を購入した投資家は、Z点での購入者を除けば、単位時間当りの収益率はすべてマイナスになってしまうのです。

　つまり、相場が天井を打つかなり前の段階から単位時間当り収益率は急低下し始めていることがわかります。投資家は保有期間を短くする（売買の回転率を高める）ことで、こうした状況を回避することができますが、x点前後では株価は勢いよく上昇を続けている真っ最中であり、また周りにいる多くの投資家とも相場の先高観を共有していることなどから、逆の行動をとりがちです。

　投資家は一般的に、過去の相場の軌跡が描いた上昇カーブと同程度の価格上昇がしばらく続くことを期待し投資行動を起こしますが、相場への参入時期が天井に近ければ近いほどリターンは期待収益と大きくかけ離れてしまう傾向があることには注意が必要です。

06 含み損はパニック売りの引き金

●移動平均線を描いてみよう

再び13ページの図1「投資家心理と相場のサイクル」のモデルに戻り、D点を過ぎたばかりの状況を総合的に考えてみましょう。

株価はファンダメンタルズから大きく上方に乖離しています。市場の買い建て残高（ロングポジション）は相当規模に膨らんでいることに加え、多数の投資家の持ち値（購入価格）[注]は高値付近に集中しているはずです。

やがて、株式を長期間保有していた投資家からの利食い売りが株価を押し下げます。すると大半の投資家の含み益が急速に減少してしまうのはもちろん、場合によっては含み損となってしまいます。

その後、体力のない（懐具合のよくない）投資家が見切り売りを開始することで相場の下落に拍車がかかり、パニック的な売りを呼び、やがてE点に到達することになります。

こうした状況は、移動平均線を組み込んだモデルを用いることで理解が容易になります。

移動平均線とは、直近一定期間の引け値（終値）合計を該当期間の日数で除し、算出された数値をつないで線として描いたものです。

例えば、100日間の単純平均値はある銘柄を100日間引け値で一単位ずつ購入し続けたときの平均購入価格を考えればよいので、100日間の引け値合計を100で割れば算出できます。同様に、50日間の単純平均値は、直近50日間の引け値合計を50で割ればよいわけで、100日分のデータがあれば50日目から100日目まで、つまり51個の数値を得ることができます。その数値をつないでいけば、50日単純移動平均線が出来上がります。

●実勢価格が移動平均を下回ると含み損が急拡大

そこで、投資家が取引を行なった日々の平均価格が引け値と等しいとし、

【持ち値】「買い建てる」ことを「買い持ちする」、「売り建てる」ことを「売り持ちする」ともいい、その買い建て、売り建てした価格（特に投資家ごとの平均価格）を「持ち値」といいます。

◆図7：単純移動平均線を追加したモデル

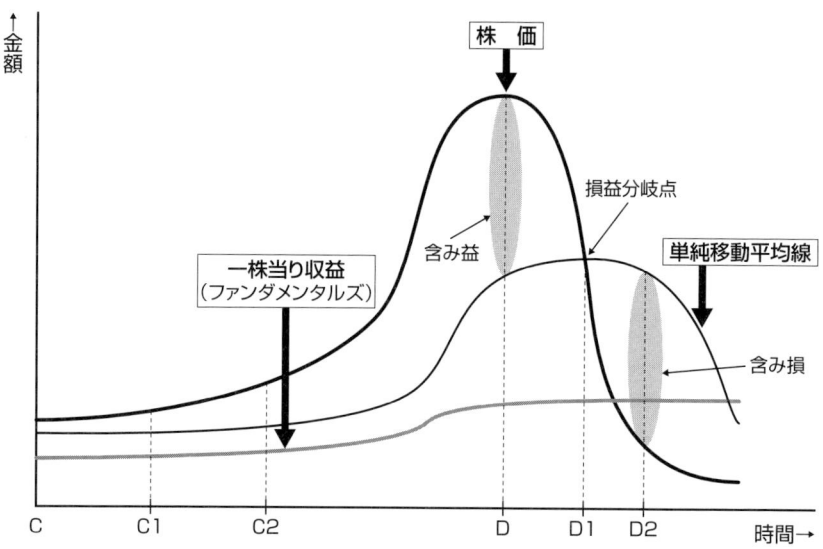

加えて取引単位は常時一定で、売買の間隔は50日間とすると、理論上、単純移動平均線を平均購入価格の推移と見なすことができます。

図7のモデルから次のことが推測できます。

Ｃ１点からＣ２点までは、市場の実勢価格（株価）と平均購入価格はおおむね平行して推移します。しかし、Ｃ２点からＤ点に至る局面では実勢価格が平均購入価格を大幅に上回っていきます。この乖離は、購入した株式が含み益を生み出していることを意味し、その幅は含み益の額を表わします。

ところが、Ｄ点からＤ１点に至る過程で状況は劇的に変化します。実勢価格が急落したため含み益は急ピッチで減少し（実勢価格が平均購入価格に近づき）、Ｄ１点ではゼロ（損益分岐点）になってしまいます。さらに、Ｄ１点を過ぎＤ２点に向かうに際しては、保有株式に含み損が生じ、次第にその規模が膨れ上がっていきます。

含み損を抱えても、長期投資目的と称して保有株式の売却を見合わせる投資家もいますが、一般に含み損の拡大と投資家の売り圧力には正の相関

◆図8：含み損の拡大と投資家の売り圧力

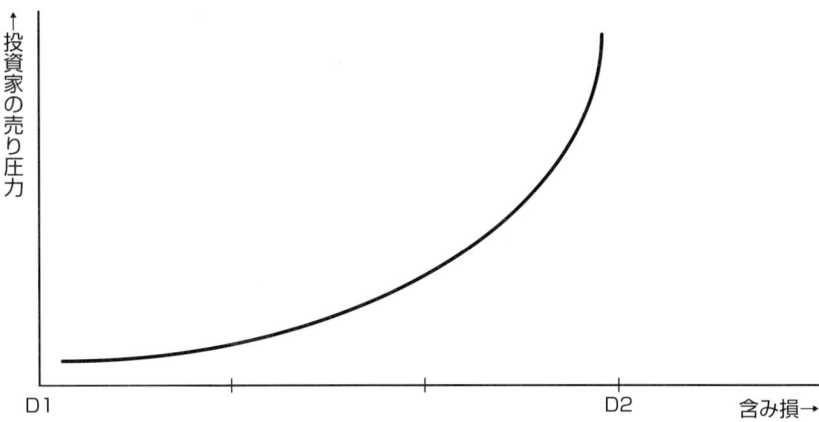

関係が見られ、含み損が膨らんでいくに従って市場の需給バランスは大きく供給超過に傾いていきます。

相場の世界ですから、こうした状況下では極端に売却価格を下げない限り取引が成立しにくいことも多く、損失を最小限に食い止めようと投げ売りが殺到すると、実勢価格はファンダメンタルズを大きく下回る水準にまで押し下げられてしまいます。

● 投資家行動を心理面から分析し、勝率アップを目指せ

これまでの解説で、次の点について理解が深まったことと思います。

取引される株式などの実勢価格は、価格の実質的な決定者である市場参加者が利益追求への飽くなき欲望を満たすために自ら心理や行動にバイアスをかけることで、上下の振幅が促されてしまいます。

よって、時に実勢価格は株式などの本質的な価値（ファンダメンタルズ）から大きく乖離してしまうことがあるのです。

価格の上昇に伴って出来高が徐々に増加していく過程では、大半の市場参加者が一段の上昇を期待し積極的に購入に動いているため、相場の基調（トレンド）は自己強化されていきます。しかし、実勢価格がファンダメンタルズから一定以上乖離してしまうと、出来高が急激に増加した直後に

横ばいとなる一方で、価格だけが急上昇を見せます。

　すると、投資家たちの含み益は短時間に急速に膨らみます。しかし一方で、投資家の相場反落リスクに対する警戒心は次第に薄れ、保有ポジションのメンテナンスに緻密さを欠くことにつながってしまうのです。

　保有資産に多大な含み益が生じている場合、自己陶酔に浸りがちですが、「予断のワナ」に陥った投資家が多ければ多い相場ほど、後の「油断のワナ」には注意したいものです。

　「IT革命」の恩恵で様々なメディアを通じて相場に関する情報を瞬時に入手することができるようになり、短時間で大衆が一方向に傾くことも多くなっています。しかし、メディアがもたらす情報のウラを読んでみることも時として必要でしょう。

　ひとつ具体例をご紹介します。

　確か2000年の２月頃であったと記憶していますが、日系の某紙にニューヨークのイエローキャブ（同市公認の黄色に塗られたタクシー）の運転手たちが客待ち時間を利用して携帯電話から米国のナスダック総合指数を活発に取引しているという記事が写真とともに掲載されました。

　熱心だなと感心する傍ら、ナスダック総合指数の取引者層もついにそこまできたか、そろそろ天井かななどと考えてみたものです。

　その後、同指数は急騰し３月上旬には5,000の大台に乗りましたが、間もなく急反落に転じ、2002年秋には1,000割れ寸前まで売り込まれました。

　少々本題から外れてしまいましたが、ここで改めて強調しておくべき点は、市場取引では多数派と行動をともにすることは安心感を生み居心地のよいものですが、状況によっては恐怖感を克服し自らの決断で相場と対峙していくことが必要だということです。それが結果として大きな果実（収益）に結びつくのです。

　その実現のためには、現在の株式などの実勢価格が相場のサイクルの中でどこに位置しているのかを念頭におき、他の投資家の次の行動を心理的側面から分析することが不可欠です。他の投資家に先駆けて相場の天底形成を推測し、機を捉えた売買を行なうことは収益向上の可能性を高めることにつながるのです。

第2章
「ローソク足」チャートは投資家心理を語る

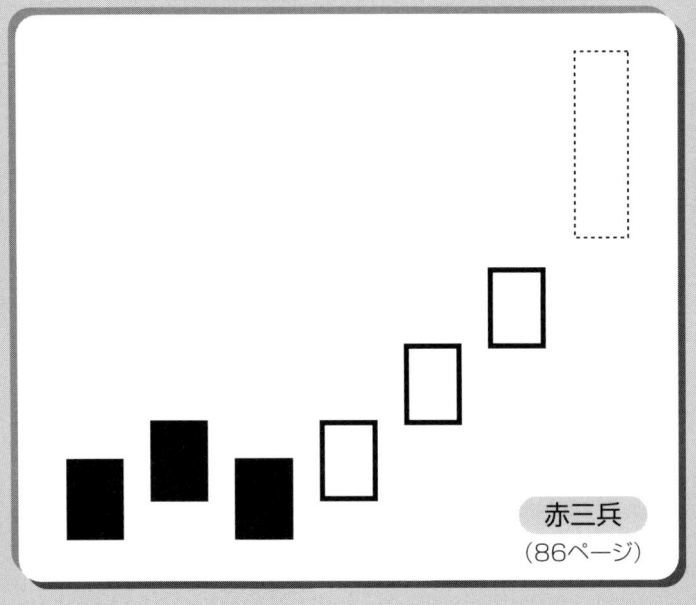

赤三兵
(86ページ)

01 チャートは神の声

●このチャートは何でしょう？

　まずは図9をご覧ください。ひと目でこの商品が何であるかおわかりになる方は、相当相場に詳しい方だと思います。正解をいう前に、この商品がその後どのような軌跡を辿ったのか想像していただきましょう。
　「上昇気流に乗り天高く舞い上がった」と答える方もいるでしょうし、「しばらく調整的な下落局面を経た後、反騰していった」と答える方もいるでしょう。

◆図9：「ローソク足」チャートの例

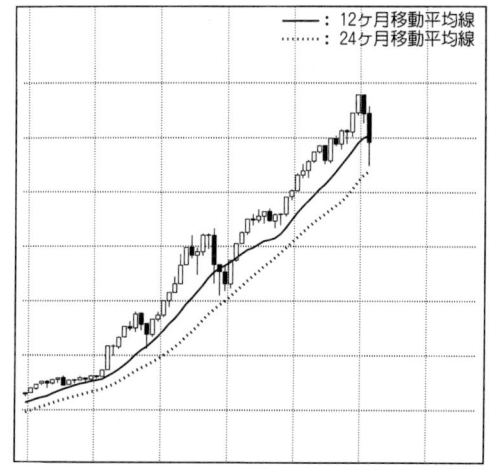

　どのような結論に至ったかは別として、意識的にせよ無意識にせよ、現在の価格が過去からの推移の中で、上昇過程にあるのか下落局面にあるのか、また、相対的に高値圏にあるのか安値圏にあるのか、そして、基調（トレンド）は強いのか弱いのか、それらを総合的に感じとって答えを導き出されたのではないでしょうか。

●あなたの「大局的相場観」は本当に大局的か？

　全体像を大局的に見て投資判断を下すことは、極めて重要なことです。大局を見誤ると精神的な疲労ばかりがつのり、決してよい結果（高い収益）を生み出すことはできません。しかしながら、大局的とはいえ投資家一人ひとりの投資期間・投資額・取引回数などは千差万別であるがゆえに、大局的な相場観と思っているものも、結果として個々人の感性に大きく依存したものに過ぎないということもできます。

　自ら直接相場に入った（売買を行なった）ことのある方は、少なからず経験があるでしょうが、次第に自分の建て玉（ポジション）がかわいくなり、悪材料にはある程度目をつぶり、好材料を見つけ出しては都合よく解釈してしまうという状態に陥りがちです。すなわち、前章で説明した「予断のワナ」です。

　その結果、下落途中の踊り場を底入れ局面と判断して買い増し（時としてナンピン買い[注]）を行ない、一段安を見た際には慌てふためき、大底形成の場面で投げ売ってしまったり、相場の一段高に対して妄想に近いものを抱き続け、大天井の辺りで大口の買いを持ち込み、持ち値（購入価格）を悪くさせてしまうことで最終的には長きにわたって温めてきた持ち値のよいものまで処分しなければならない……といった状態すら発生させてしまうこともあります。

　「大胆かつ冷静に」という相場の極意がありますが、思い切りさえよければ大胆な行動はとれるものです。厄介なのは「冷静さ」で、自制心を保つことは大変難しいものです。

　相場を手掛けるからには大きな利益を生み出すことが最終目的となりますが、自己の欲望をいかにコントロールするかで、リターンは大きく異なってきます。

　欲望を自身で制御できない場合は何かに頼らざるを得ません。さしあたっては、金融関係者・識者・他の市場参加者らの意見などを聞いて参考にすることになるでしょう。それ自体は大変役に立つことです。

　しかし重要なことは、彼らが必ずしも皆さんと同じ商品に投資しているわけではなく、また、仮にそうであったとしても持ち値が異なったり、ターゲットとしている水準や投資期間は違っているということです。彼ら自

【ナンピン買い】購入した株式などの価格が下落した際に、買い増しして平均単価を下げ、戻りを待つこと。

身の条件においては正しい対応策だとしても、違う条件でも正しいとは限りません。そして、コメントを聞いたとしても、最終的な判断は皆さん自身が下さねばならず、結局、自己の欲望との闘いに戻ってしまうのです。

● その後のチャートを加えれば一目瞭然

ところで、前置きが長くなりましたが、図9の商品は日経平均株価[注]（月足）です。

特に1980年代後半は、誰しもが株式・不動産・会員権などの市場価格の上昇が永遠に続くことを期待し、その期待感に酔ってしまった時代でした。

一般投資家はもとより金融関係者・識者らもこぞって、90年代の幕開けとともに日経平均株価は7万円、いやいや10万円を目指す展開になろうと声高らかに説いていた記憶があります。

さて、図10はその後の相場展開を付け加えた「ローソク足」チャートです。

ご説明するまでもありませんが、崩落を見たあと、長期間にわたり低迷を続けるだけの相場になってしまいました。

◆図10：バブル崩壊後を加えた日経平均株価チャート（月足）

- 【日経平均株価】東京証券取引所の第一部上場銘柄のうちから代表的な225種を選んで算出した平均株価。東証第一部上場全銘柄を対象とする東証株価指数（TOPIX）と並び、日本の株式市場の動向を表わす指標とされています。

ところで、ロンドンの金融市場の中心地「シティー」では古くから「相場の先行きは神のみぞ知る。しかしチャートは神の声を一部伝えている」といわれてきました。果たして当時の日経平均株価についても「神の声」は発せられていたのでしょうか。
　ここで検証してみることにしましょう。

● 天井打ちを警告していた「神の声」
　図11は、図9の右端部分を週足チャートに置き換えたものです。

◆図11：日経平均株価ピーク時の週足チャート

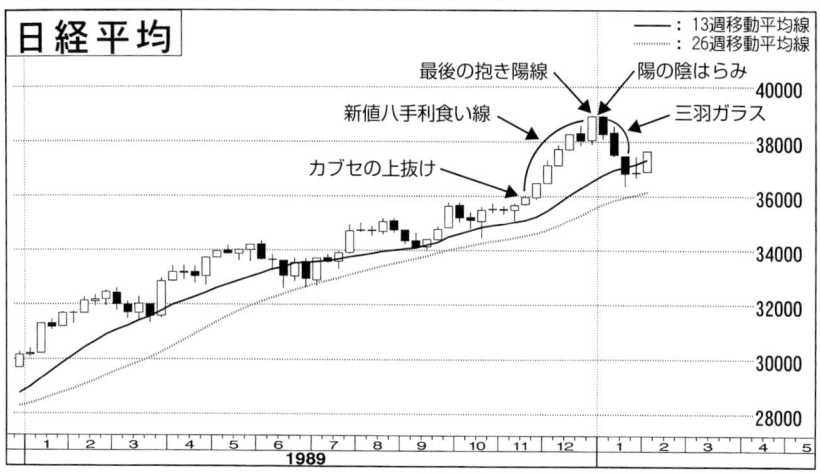

　長期間上昇を続けてきた日経平均株価ですが、89年11月第3週に「カブセの上抜け」[注]が起こり、さらに急激な上昇を続けました。結局12月の最終週に史上最高値3万8957.44円を示現するわけですが、それまでになんと7週連続で高値が更新されていたのです。つまり「新値八手利食い線」という足型が出現していたことになります。週足での出現は、新値追いが限界にきていることを表わすとともに、反落局面が近いことも示唆します。そして最終週の大陽線が前週の小陰線を抱くことで「最後の抱き陽線」となり、合わせて90年1月の第1週の小陰線をはらみ「陽の陰はらみ」を出現させ、また続く第2・第3週がともに陰線引けしたために「三羽ガラス」

【カブセの上抜け】96ページ参照。同様に、「新値八手利食い線」は116ページ、「最後の抱き陽線」は132ページ、「陽の陰はらみ」は131ページ、「三羽ガラス」は122ページを参照してください。

までもが完成してしまいました。

　それぞれの足型については後に詳しく解説しますが、日経平均株価がまさに天井を作り上げんとする局面で、投資家たちの強い上昇期待感とは裏腹に、極めて特徴的な足型が連続して出現し、「神の声」として彼らに「天井近し、利食いを行なうべし。急落に注意せよ」と警告していたことは紛れもない事実なのです。

　このように、いわゆるバブルの絶頂期、大多数の投資家が永遠の宴を夢見て陶酔感に浸っていた中で、「ローソク足」チャートは極めて冷静に相場の行方を暗示してくれていました。

● 「右肩上がり」が終わり、株式投資のスタイルは変わった
　ところで、80年代の日経平均株価は常に「右肩上がり」の形状をしていましたが、現在では見る影もありません。

　かといって、悲観的になりすぎる必要はないのです。日経平均株価が近日中に4万円台まで上昇する確率は低いといえますが、90年代後半以降においても年間では平均約35%の振幅があります。

　これは何を意味しているかというと、誰もが労せず利益をあげられた時代は過ぎ去り、優れたチャートを携え相場の流れに乗って効率よく売買を繰り返すことのできる投資家には依然として大きな成果を得られるチャンスがあるということです。

02　ローソクの炎の揺らめきが伝えるもの

●ローソクの一生と相場の一生

　「ローソク足」──なんとも味わいのある呼び名ではありませんか。極めてシンプルで、繊細で、そしてどことなく古めかしい響き……。

　形がローソクに似ていることから名付けられたことは言うまでもありません。しかし、その風貌が伝えているものはそれだけでしょうか？

　試しに、ローソクに火を灯してみてください。まず芯の先でほのかに丸い輝きを発し、次第に炎は赤々と成長し、芯を降りていきます。そして、見事な流線形を作り上げると、自らの命を削りながらも全エネルギーを費やして凛々しいまでに燃え盛ります。少しくらいの風には炎を揺らめかせながらも堪え忍び、謙虚なまでに灯を保ち続けようとします。次第に気化が進み体が矮小化してしまっても、その力を緩めません。

　しかし、やがて老いが始まると炎は急速に萎んでいきます。そして最後の力を振り絞るように一閃、光を投げかけたあと、音も立てずにその生涯を閉じてしまいます。

　おわかりでしょうか？　そうです、相場の一生に通ずるところがあるのです。

　産声をあげたばかりの相場は大きくは動けず、小さな上下動を繰り返すのみです。やがて成長するに従い上昇に向けて力を蓄えていきます。青年期を過ぎて壮年期に入ると、上昇に弾みがつき高値更新を続けます。そして最後の輝きを見せた後、突如後退を始め、終焉を迎えます。

　私たちは心の奥深いところで、相場の盛衰、ひいては人生の盛衰をローソクの炎の揺らめきの中に見出しているのかもしれません。

03 「ローソク足」とは

● 4本値が一目でわかる「足型」

「ローソク足」チャートについて簡単に説明しておきましょう。

◆図12：ローソク足の各名称と4本値

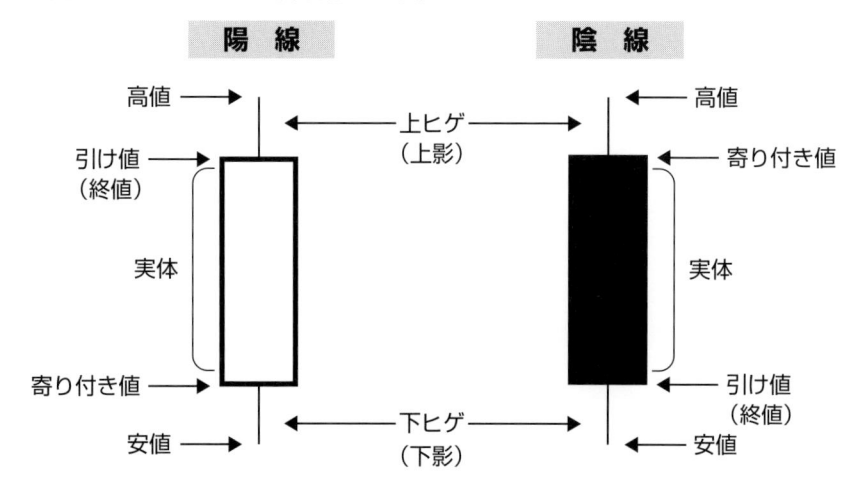

```
        陽線                           陰線

高値 →│                          │← 高値
      │                          │
引け値 →┌─┐ ←上ヒゲ      ┌─┐ ←寄り付き値
(終値) │ │   (上影)       │■│
      │ │                │■│
      │ │  実体           │■│  実体
      │ │                │■│
      │ │                │■│
寄り付き値→└─┘ ←下ヒゲ     └─┘ ←引け値
      │     (下影)         │    (終値)
安値 →│                          │← 安値
```

一日（または一週間、一か月）の相場には、必ず寄り付き値[注]・高値・安値・そして引け値（終値）が存在します。これらの値を4本値といい、これらを一つの図形（足型）にまとめたものが「ローソク足」です。

図12を参照してください。寄り付き値と引け値に挟まれた部分を「実体」といい、「実体」からはみ出した高値・安値を示す線を「ヒゲ（または影）」といいます。そして寄り付き値よりも引け値が高い場合は白（または赤）、逆に安い場合は黒で実体を塗りつぶします。「実体」が白（または赤）で塗られた場合を「陽線」、黒で塗られた場合を「陰線」と呼びます。

なお、一日の4本値を表わすローソク足を「日足」、一週間のものを「週足」、一か月のものを「月足」といいます。

- 【寄り付き値】その日（週、月）の最初の取引を「寄り付き」といい、その取引価格を「寄り付き値」といいます。また、その日（週、月）の最後の取引を「引け（大引け）」といい、その取引価格を「引け値（終値）」といいます。

●まず、ローソク足の基本「単線」をマスターしよう

ところで、「ローソク足」チャートによる分析で基本となるのが、一本一本の足型（単線）です。

「大陽線」、「小陰線」、「十字線」などは比較的馴染みのある足型ではないでしょうか。それぞれの足型に特定の名称があり、相場動向の特徴を表わすとともに、それはどのような環境ゆえに生じたのか、また、市場の建て玉の需給バランスはどのような状態か、投資家はどのような感情を抱いているのか、そして今後相場はどのように展開していくか、といったことを暗示してくれます。

時系列チャートには、欧米で主流な「バーチャート」など様々な種類のものがありますが、筆者は、投資家の心理状態を素直に表現するチャートとして「ローソク足」チャートを特に重要だと考えています。

では、次に「ローソク足」チャートの単線の足型を5つのグループに分けて解説していきます。第4章で解説する「複合線」の基本となるものでもありますから、しっかりマスターしてください。

◆図13：様々な時系列チャートの例

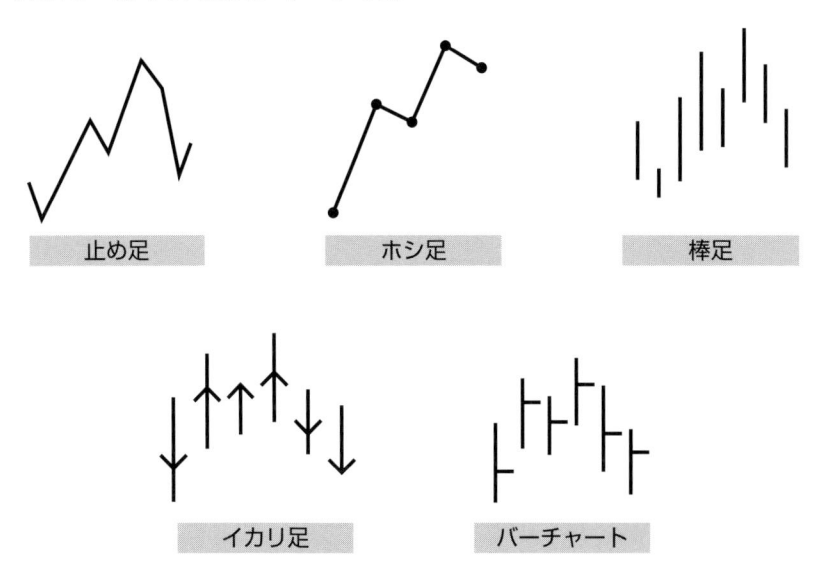

止め足　　ホシ足　　棒足

イカリ足　　バーチャート

04 「ローソク足」の基本型（単線）

（1）大陽線

大陽線とは、寄り付きから大引けまでほぼ一本調子で大きく上昇を演じたもので、株式市場の場合、時価の10％程度の上昇率が目安となります。非常に買い意欲が強いことの表われとして出現します。ヒゲの有無あるいは長さなどによって、その後の相場展開が微妙に変わります。

◆図14：大陽線

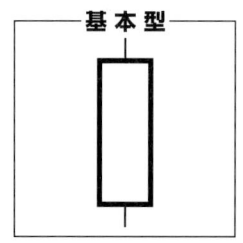

基本型

① **陽の丸坊主**（安値寄り付き、高値引け[注]）

足型の特徴…上ヒゲ・下ヒゲのない大陽線
買い手の心理…強い上昇期待感
相場の暗示…大幅高

② **陽の大引け坊主**（高値引け）

足型の特徴…上ヒゲのない大陽線
買い手の心理…強い上昇期待感
相場の暗示…大幅高

③ **陽の寄り付き坊主**（安値寄り付き）

足型の特徴…下ヒゲのない大陽線
買い手の心理…上昇期待感。時に、失望感・高値警戒感
相場の暗示…上昇一服
上ヒゲが長いものや高値圏での出現には要注意
❗ → 一部の投資家は利食い売りを入れ始めている

- 【高値引け】その日（週、月）の高値で取引が終わること。高値と引け値（終値）が同じなので、ローソク足に上ヒゲは付きません。

（2）大陰線

　この線の出現に投資家は大きく失望させられます。大陽線とは正反対といえましょう。
　寄り付きから大幅に下落し安値圏で引けてしまうもので、相場は「極めて弱気」です。

◆図15：大陰線

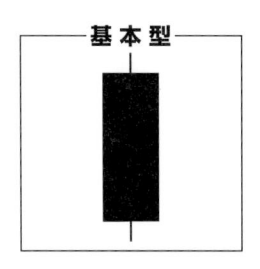

基本型

① 陰の丸坊主（高値寄り付き、安値引け）

　　足型の特徴…上ヒゲ・下ヒゲのない大陰線
　　買い手の心理…強い失望感
　　相場の暗示…大幅安

② 陰の寄り付き坊主（高値寄り付き）

　　足型の特徴…上ヒゲのない大陰線
　　買い手の心理…強い失望感
　　相場の暗示…下落一服
　　下ヒゲが長く安値圏での出現には要注意
　　！→　目先、底打ちとなりやすい

③ 陰の大引け坊主（安値引け）

　　足型の特徴…下ヒゲのない大陰線
　　買い手の心理…絶望感
　　相場の暗示…大幅安

（3）小陽線

　小陽線とは、引け値が寄り付き値よりも高く、上下に短いヒゲがあり、実体部分の長さが株価などの約3％程度のものです。連続して出現すると大陽線につながるケースが多く見られます。実体の長さや、ヒゲの有無あるいは長さなどによってその後の相場展開が微妙に変わってきます。

◆図16：小陽線

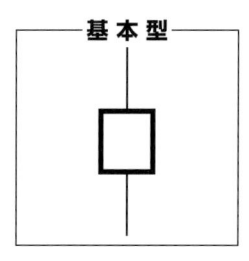

基本型

① 下影陽線

　　足型の特徴…下ヒゲが実体と上ヒゲを合わせたものより長い
　　買い手の心理…上昇期待感
　　相場の暗示…上昇継続

② 陽のコマ

　　足型の特徴…上ヒゲ・下ヒゲがともに長く、実体が短い
　　買い手の心理…上昇期待感の中、気迷い
　　相場の暗示…相場の転換点近し。時に、相場の加速

③ 上影陽線

　　足型の特徴…上ヒゲが実体と下ヒゲを合わせたものより長い
　　買い手の心理…高値警戒感・失望感
　　相場の暗示…調整局面入り

④ 陽のカラカサ

　　足型の特徴…上ヒゲがなく、下ヒゲが極端に長い
　　買い手の心理…上昇期待感
　　相場の暗示…安値圏の出現で反発、高値圏で反落
　　高値圏での出現には要注意
　　！→「首吊り線」［注］となりやすい

【首吊り線】124ページ参照。

（4）小陰線

　小陽線と対称をなす型で、引け値が寄り付き値よりも安く、上下に短いヒゲを有しているものです。
　全般的に相場の弱もち合い[注]を表わします。

◆図17：小陰線

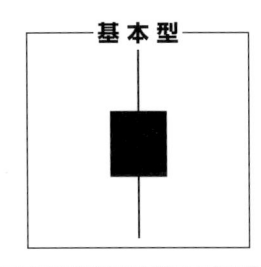

基本型

① 下影陰線

　足型の特徴…下ヒゲが実体と上ヒゲを合わせたものより長い
　買い手の心理…失望感
　相場の暗示…下落一服。安値圏の出現で反発

② 陰のコマ

　足型の特徴…上ヒゲ・下ヒゲがともに長く、実体が短い
　買い手の心理…失望感の中、気迷い
　相場の暗示…相場の転換点近し。時に、相場の加速

③ 上影陰線

　足型の特徴…上ヒゲが実体と下ヒゲを合わせたものより長い
　買い手の心理…失望感
　相場の暗示…下落継続

④ 陰のカラカサ

　足型の特徴…上ヒゲがなく、下ヒゲが極端に長い
　買い手の心理…失望感
　相場の暗示…安値圏で反発、高値圏で反落

【弱もち合い】「もち合い」は買い手、売り手が拮抗して株価などが上にも下にも大きく動かない状態。その中でやや下げ気味なのを「弱もち合い」、やや上げ気味なのを「強もち合い」といいます。

（5）十字線

「寄り引け同時線」とも呼ばれ、読んで字のごとく、寄り付き値と引け値が同値となるものです。十字架に似た形から「クロス」とも呼ばれます。

一般的に、相場転換の前兆として出現します。また、出現位置でその後の相場展開が大きく変わってきます。

◆図18：十字線

基本型

① トンカチ
　足型の特徴…上ヒゲがなく、下ヒゲが極端に長い
　買い手の心理…上昇期待感
　相場の暗示…安値圏の出現で反発、高値圏で反落

② トンボ
　足型の特徴…上ヒゲもあるが、下ヒゲが極端に長い
　買い手の心理…上昇期待感の中、気迷い
　相場の暗示…安値圏の出現で反発。高値圏で反落

③ 足長クロス
　足型の特徴…上ヒゲ・下ヒゲがともに相対的に長い
　買い手の心理…気迷い
　相場の暗示…相場の転換点近し。時に、相場の加速

④ トウバ
　足型の特徴…下ヒゲがなく、上ヒゲが極端に長い
　買い手の心理…失望感
　相場の暗示…安値圏で反発。高値圏で反落

⑤ 一本線
　足型の特徴…ヒゲがまったくない(寄り付き値がそのまま引け値)
　買い手の心理…様子見
　相場の暗示…相場の転換点近し。時に、相場の加速

●投資家心理の変化に注目

「ローソク足」チャートは相場の基調の強弱・売り手と買い手の勢力関係・投資家の心理状態などを映し出すと説明してきましたが、中でも投資家心理の変化に注目すべきです。

例えば、上昇相場の途中で、相場にとってさらに強い支援材料が出現したとき、一般的に投資家は買い増しを行なったり新規買いを持ち込んだりします。しかしその後、相場はいっこうに上昇を見せず、引けにかけて小緩んだとしましょう。そうした状態を見て投資家の心理状態にはバラツキが生じます。強気な投資家はさらに買い向かうでしょうし、一方慎重な投資家は利食い売りを優先させるでしょう。このように投資家の相場見通しが分かれてしまう際に発生する足型は大変興味深い姿をしています[注]。

投資家心理を見事に表わす例としては、「マド」開けの出現があります。これは、投資家のパニック的な心理状態が引き起こすものの典型です。

「マド」開けとは、それまでの相場の流れが加速し、買い（または売り）の成り行き注文[注]が殺到している状態で、前週の高値（または安値）と今週の安値（または高値）が交わらず、水準訂正が行なわれたもので、2つの「ローソク足」の間に生じる空間を指します（図19参照）。

これは、需給バランスが崩れたために、水準調

◆図19：「マド」開け

＊寄り付きでの成り行き買い注文が殺到している状態

＊寄り付きでの成り行き売り注文が殺到している状態

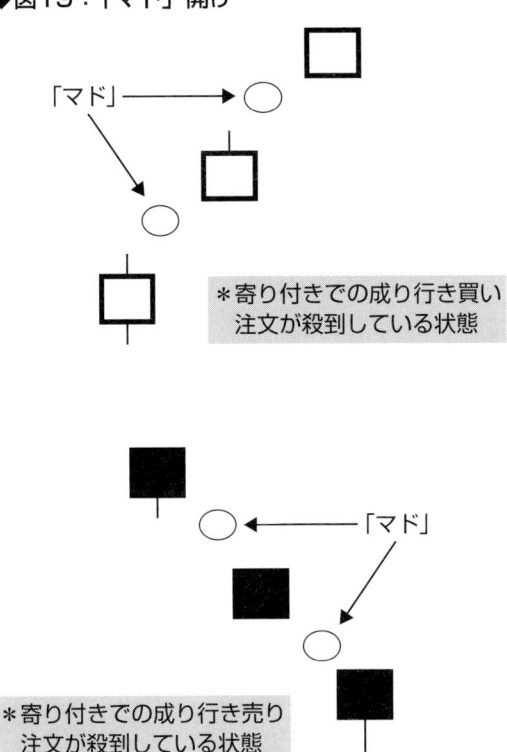

【注】例えば、118ページの「三手放れ寄せ線」や126ページの「上位の上放れ陰線」がそれに当たります。
【成り行き注文】価格を指定しない売買注文で、取引を早く確実に執行したい時に利用されます。また、価格を指定する注文を「指値注文」といいます。

整が行なわれないと取引が成立しなかったという状況を表わしています。

●投資家心理がさらに正確にわかる「複合線」
　「ローソク足」は単線でも重要な意味をなしますが、それが２本以上の組み合わせ（複合線）になると、相場の真の姿や投資家の心理状態をより正確に伝えてくれます。
　複合線については第４章で詳細に解説します。
　また、単線にせよ複合線にせよ、それが相場の天井（高値圏）で出現しているのか、底（安値圏）で出現しているのか、そして相場に流れが出始めたばかりでの出現なのか、それとも相当期間が経過した後の出現なのか、つまり足型の出現位置も見逃してはならないポイントです。

第3章

「勝ち組」への秘訣

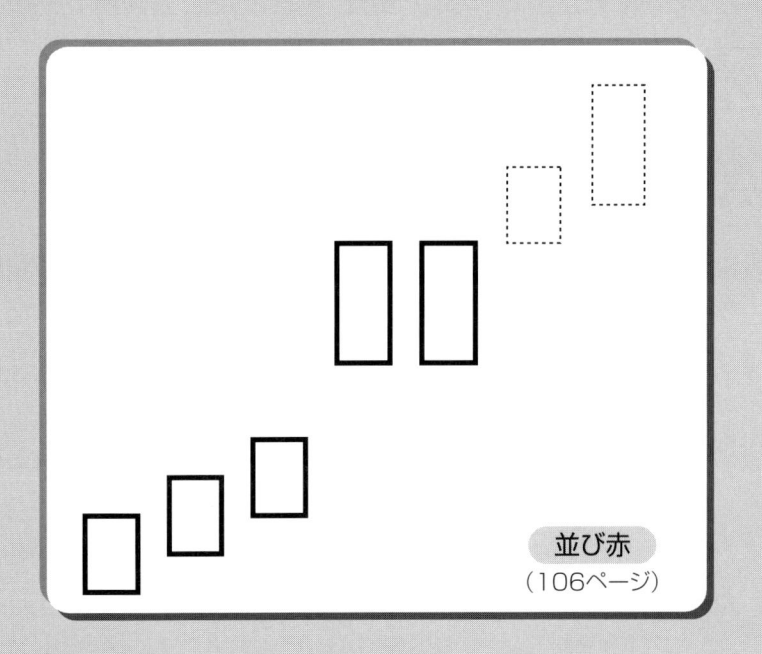

並び赤
(106ページ)

01 最も重要な価格は「引け値(終値)」

　さっそく「ローソク足」の複合線などについて解説していきたいところですが、その前に相場の勝ち組になるための「技術的な秘訣」をいくつかお話ししておきましょう。「ローソク足」の威力についての理解が深まることと思います。
　すでに見たように、「ローソク足」は一日(または一週間、一か月)の寄り付き値・高値・安値そして引け値(終値)から構成されています。
　勝ち組になるためにまず知っておいていただきたいのは、この4つの値の中で「引け値(終値)」が最も重要であるということです。その理由を説明しましょう。

● 「引け値」は大多数の市場参加者が適正と認めた価格
　通常、相場は寄り付いてから、様々なニュース・うわさ・思惑などを材料に上下動を繰り返します。そして取引時間終了時刻が迫る頃には、相場を変動させてきた要因は十分に市場参加者に浸透しています。そこで相場に精通した投資家は、現状の相場環境に照らし、保有している株式などの時価が相対的に割安であるのか割高であるのか、また将来的にその価格が維持され得るか否かを熟考し、状況に応じて建て玉(ポジション)の調整を行ないます。
　通常、こうした取引はそれまでの相場の流れと逆方向であるため、取引時間終了時刻が近づくにつれ、相場の潮目に変化が起きることも少なくありません[注]。この変化が投資家にとって予想外の動きであれば、慌てて利益を確保するためや損失を最小限に食い止めるための売買を行なう投資家も出てきます。しかし、自らの相場観に自信を持つ投資家は、必要なポジション調整以外の行動を起こしません。
　そして「大引け」を迎えるわけですが、こうした動きの結果である「引け値」とは、大多数の市場参加者がその株式などの価格が現在の相場環境

【注】例えば上昇相場の中での反落などです。

下ではほぼ適正であると認めた値（あたい）ということができます。そして「引け値」は、相場の中に渦巻く利益追求への欲望が凝縮していくことによって必然的に決定された値と考えることができるのです。

●ヒゲの長さで引けにかけての売り・買い圧力がわかる

例えば、「陽の寄り付き坊主」の形成がほぼ確定的な日であったとしても、引けにかけて高値からの押し込み度合いの強弱によって上ヒゲの長さが異なってきます。そして、ヒゲが長ければ長いほど、売り圧力が増してきていると察知できます（図20参照）。

高値や安値のピークをつけてから引けにかけての値動きは、投資家の心理状態を大きく反映するため、市場の潜在的な需給バランスを推測することができるのです。

なお、24時間市場取引が行なわれているものについては、あえて取引開始時刻を午前8時・取引終了時刻を午後6時などと設定することで、ローソク足の各種足型が十分に反映されるチャートを作成することができます。

◆図20：「陽の寄り付き坊主」と売り圧力

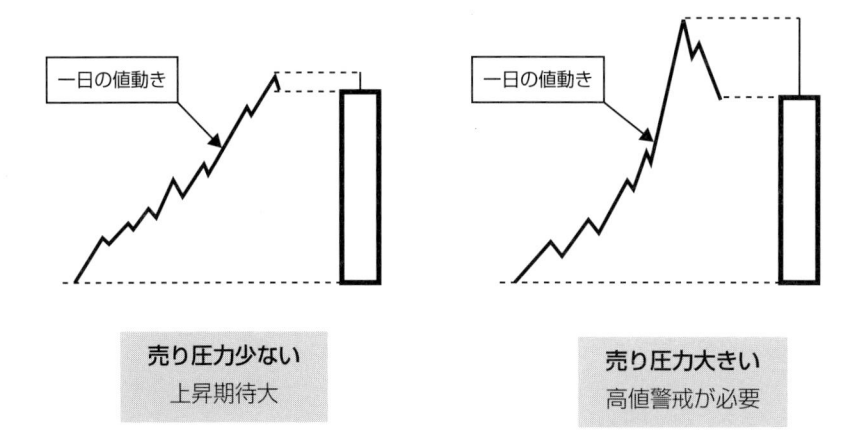

売り圧力少ない
上昇期待大

売り圧力大きい
高値警戒が必要

02 売買はタイミングがすべて

● 「機敏な行動」は必要だが、「あせり」は禁物

　いうまでもなく、相場は買い手と売り手がお互いにその時点で納得した価格で取引を成立させることによって成り立っています。しかしながら、買い手にせよ売り手にせよ必ずしも十分に満足できる価格で取引を成立させているとは限りません。

　相場の一段高を見込む投資家であれば、本来的には例えばもう10％程度安い価格で購入したいところを、買いそびれてしまうことを避けるために、成り行き買いに方針を変更するケースはよく見られます。一方、相場の一段安に対して大きな不安感を抱く投資家は、保有資産の目減りを最小限に抑えることが最優先であるため、成り行き売りなどを先行させます。

　確かに機敏な行動は、市場参加者であれば常に要求されているものです。しかし、こうした投資家のいわば「あせり」の感情は、市場参加者にもう一つ常に要求されている冷静さを排除してしまいます。その結果、底値圏で投げ売り、天井圏で大口買いといった事態を招くのです。

　投資家として勝ち組となるためには、冷静さを保持し、相場を客観的に分析する手段を持ち合わせるべきで、その点で「ローソク足」チャートは最適なものの一つといえます。

● 「行き詰まり線」を知っているかどうかで大違い

　図21を見てください。上昇相場の中で大陽線を立てた翌週、さらに陽線が出たものの高値更新に至らなかったという状況を示す複合線で、「行き詰まり線」と呼ばれるものです。

　上昇過程で出現した大陽線に、投資家は相場の一段高に対する自信を深めます。また、それまで様子見を決め込んでいた投資家からも新規の買い注文が入り、多くの投資家は大幅高を期待します。

　しかし、ここからが重要です。当然のことですが、新規参入者も含め、

第３章◆「勝ち組」への秘訣

◆図21：行き詰まり線

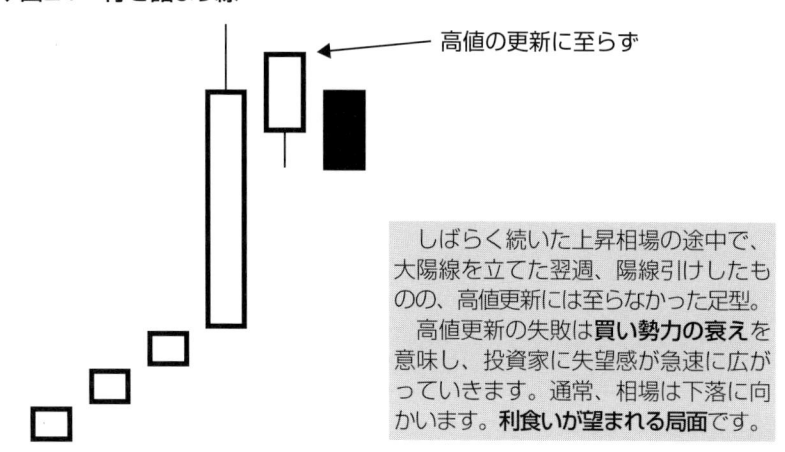

　　　　　　　　　　　← 高値の更新に至らず

> しばらく続いた上昇相場の途中で、大陽線を立てた翌週、陽線引けしたものの、高値更新には至らなかった足型。
> 高値更新の失敗は**買い勢力の衰え**を意味し、投資家に失望感が急速に広がっていきます。通常、相場は下落に向かいます。**利食いが望まれる局面**です。

　すべての投資家の目は、直近高値が更新されるか否か、そして更新された場合どの程度の上昇を見せるかに、集中的に注がれます。しかしながら、陽線引け[注]は間違いないとはいえ、取引時間終了時刻が迫りながらもいっこうに高値追いが見られない場合、急速に失望感が広がっていきます。
　この失望感は、投資家に２つの選択肢を提示し決断を迫ることになります。利食うべきか、まだ待つべきか……。ここで「行き詰まり線」の存在を知っているか否かで、対応に大きな差が出ます。
　最も重要な価格は「引け値（終値）」です。引け際の相場動向を注視し、直近高値が更新される確率が限りなくゼロに近づいた場合、「行き詰まり線」の存在を知る投資家はその完成を予想することができます。そして翌週を待たずに、少なくとも買い建て玉（保有株）の一部に利食い売りを持ち込むことは可能です。
　しかし、残念なことに「行き詰まり線」そのものやその形成過程を知らない投資家は、買い建て玉をそのまま放置してしまい、上昇期待感と失望感との狭間で葛藤することになります。やがて売り圧力が増してくると相場は下落速度を速め、そこではじめて売りを持ち込むことになります。
　このように、「ローソク足」チャートの様々な足型の特性を知っているかどうかは、売買の巧拙に大きく影響しているのです。

【陽線引け】陽線を形作って引けること。つまり、寄り付き値より高い価格で大引けの取引が行なわれることを指します。

03 足型の出現位置に注意

● 「大陽線」が出ればいつも買いとは限らない

　足型を見る際、相場の盛衰（サイクル）の中で、どの位置に出現しているかに注意することも重要です。同じ足型でも、出現する位置により示す意味合いが異なることがあるからです。

　例えば、「大陽線」自体は、大変強い足型です。しかし相場上昇の途中で「最後の抱き陽線」として発生する「大陽線」などは、投資家の一段高期待を裏切ることになります。

◆図22：最後の抱き陽線

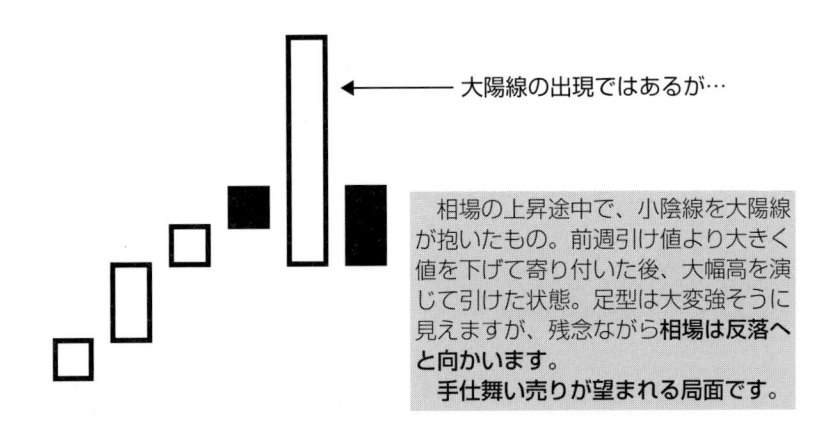

← 大陽線の出現ではあるが…

相場の上昇途中で、小陰線を大陽線が抱いたもの。前週引け値より大きく値を下げて寄り付いた後、大幅高を演じて引けた状態。足型は大変強そうに見えますが、残念ながら**相場は反落へと向かいます。**
手仕舞い売りが望まれる局面です。

　上昇相場が続くと、一般的な投資家は相場のさらなる上昇期待感から利食いのターゲットを上方にシフトし、利食い売り注文を持ち込むことを手控える傾向があります。

　一方、これまで売り建て玉（ショートポジション[注]）を積み上げてきた投機筋などは、損失に耐えきれない水準にまで相場が上昇してしまえば、買い戻しを実行せざるを得ません。こうした損失覚悟の買い戻しなどは、

【ショートポジション】「買い」を「ロング」と呼ぶのに対し、「売り」を「ショート」といいます。「ショートポジション」とは「売り建て玉」をもっている状態や数量を指します。

市場の需給バランスを一時的に崩し、相場を急激に上昇させることがあります。

すなわち、上昇相場が続いたのち高値圏で出現する大陽線は、必ずしも新規買いや買い増しなどによって生じるものではなく、投資家が売り注文を手控える中、投機筋などが慌てて買い戻しを行なうことで価格が急騰し、結果として大陽線を形成させたと見なすことも可能なのです。

●同じ大陽線でも出現位置で意味合いがまったく異なる

むろん、「最後の抱き陽線」の存在を知らなければ、大陽線の出現にはしゃぎ、永遠の宴を夢見てしまうわけですが、上昇相場の初期段階で出現する根拠のしっかりした大陽線と、相当期間上昇相場が続いたのちに高値圏で発生する一段高への根拠に乏しい大陽線とは、まったく異なるものなのです。

「大陽線の出現→強気相場→買い」という短絡的な発想からは一歩退いて相場と向かい合う姿勢が要求されます。そのためにも、ローソク足の足型の出現位置に十分留意する必要があるのです。

次の第4章では、これまで解説してきたポイントを念頭に置きながら、「ローソク足」チャートの複合線を分析していくことにします。「ローソク足」は単線でも重要な意味をなしますが、2本以上の組み合わせ（複合線）になると、投資家心理の変化や具体的な行動などが反映された相場の真の姿をより正確に伝えてくれます。
　チャートの各種足型の解説及び実例は「週足」を用いています。
・「日足」では、相場に流れが出にくいため投資家心理が十分に反映されていない恐れがあること
・「月足」では、前月と当月の実体がオーバーラップしやすく、投資家心理を映し出す足型が出来にくいこと
などが週足を選んだ主たる理由です。
　また、相場サイクルのどこで出現するかが重要なことから、足型の解説順序は可能な限り、冒頭の相場格言「相場は悲観の中に生まれ、懐疑の中に育つ。楽観の中で成熟し、幸福感の中で消えてゆく」に沿うよう配列しています。

　なお、読み進めるにあたって、以下の点にご注意ください。
・実例として個別企業の株価チャートを紹介していますが、これは特定銘柄の売買を推奨するものではありません。
・各種足型の相場の暗示の中で、投資家にとって最も望ましい行動を披露していますが、戦争や政変の勃発など特殊状況下においてはこの限りではありません。
・著者、出版社は売買に関する損失・損害などについての責任は負いかねますので、投資は自らの判断に基づき行なってください。

第4章
「ローソク足」チャートの複合線はこう読む

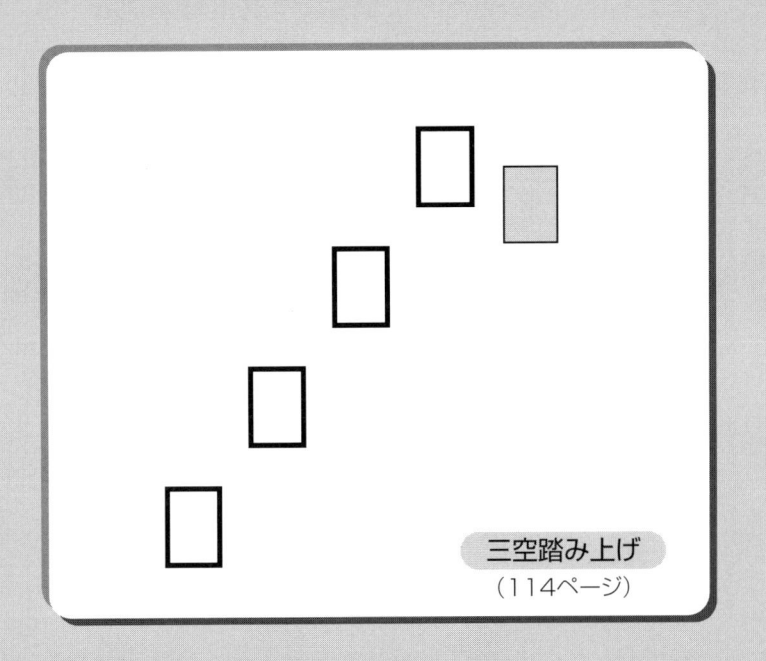

三空踏み上げ
(114ページ)

01 底入れを暗示する足型

> 相場は**悲観**の中に生まれ、懐疑の中に育つ。楽観の中で成熟し、幸福感の中で消えてゆく

（1）三空叩き込み

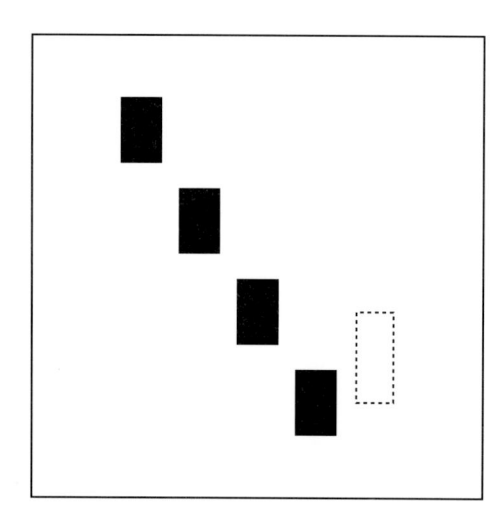

◎相場の環境と足型の特徴

　下落相場の途中で、予想を上回る悪材料が出たことなどで、陰線が4本連続し、各陰線の間に「マド」開けが生じたもの。

◎買い手の行動と心理状態

　狼狽した投資家は損失を最小限に食い止めようと、寄り付きから成り行き売り注文を殺到させます。市場は弱気一色。投資家の絶望感はピークに達し、底値の目処が立たないことから恐怖感に怯えています。

◎状況分析と相場の暗示

　投げが投げを呼ぶ展開とは、裏を返せば、投資家の買い建て玉（ロングポジション）が急速に減少していく状態にあるといえます。価格はファンダメンタルズから一時的に大きく下方乖離しており、相対的に割安な水準となっています。投げ売り一巡（投資家の買い建て玉はほぼ消滅）後、相場は反発へと向かいます。

> 一手先んじて買い仕込みを行なうチャンスの到来です。

◎実　例

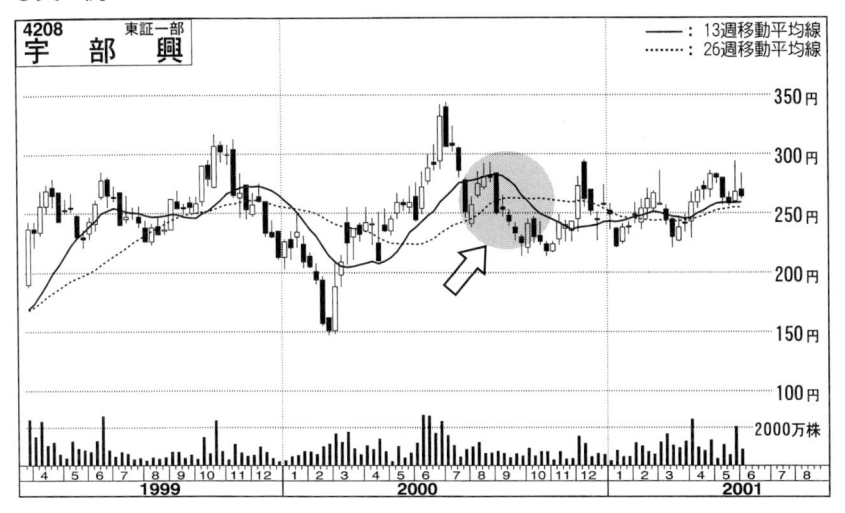

上は宇部興産（証券コード：4208）の週足です。2000年7月に天井を見たあと下落基調が続いていましたが、9月第2週より連なる4つの小陰線の実体と実体の間に空間が生じたことで、「三空叩き込み」が発生[注]しています。

10月第1週には大陽線を立てて相場は底入れし、戻り高値を試しにいきました。

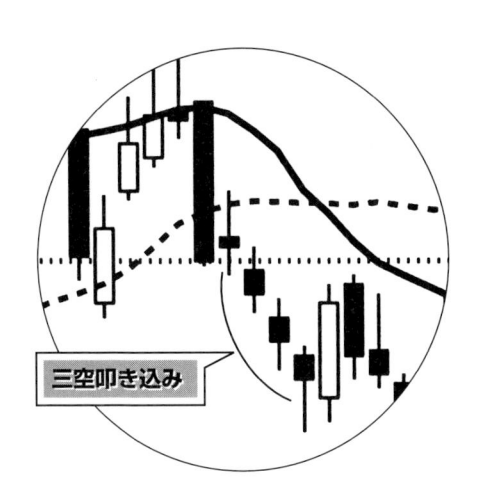

【注】週足では純粋な「三空」（ヒゲも含めてマドが開くこと）が発生することはまれで、ローソクの実体と実体の間のマドが3つ連続してできたケースを広義の「三空」と見なすことができます。

（2）三手大陰線

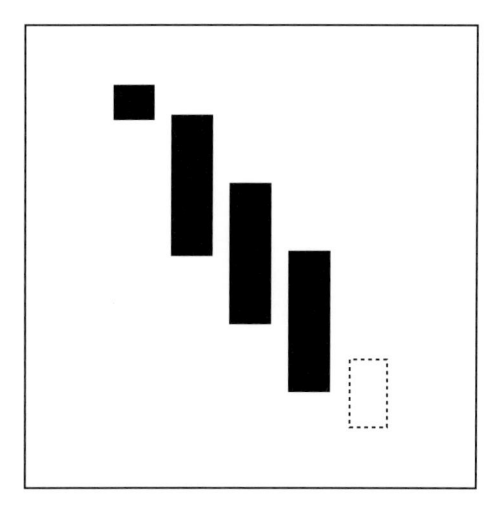

◎相場の環境と足型の特徴

　下落相場の途中で、3本連続して大陰線が出現したもの。一見、非常に弱い相場に思われがち。

◎買い手の行動と心理状態

　大半の投資家が、絶望感と恐怖感から買い建て玉を投げ売っている状態です。3本目の大陰線形成過程で売らざるを得なくなった投資家は、「二度と相場に入るまい」などと悔しがっていることでしょう。

◎状況分析と相場の暗示

　1本目の大陰線が出現する前にも下落相場が続いていましたが、恐らく比較的緩やかだったため、一時的な調整局面に入ったに過ぎない、とたかをくくっていた投資家も多かったのではないでしょうか。よって、市場の買い建て残高（ロングポジション）はあまり減っておらず、悪材料が最初の大陰線を形成してようやく目が覚め、大半の投資家が損失を極小化するための行動を起こしたものと考えられます。しかし、投げ売ろうにも買い手が見つからず、相場はその水準を大きく下げることでようやく取引が成立、気が付けば3週間も連続して大陰線となっていたという惨憺たる状態です。

　こうして市場の買い建て玉は消滅してしまいます。この時点で株価はファンダメンタルズを大きく下回っているため、やがて相場は反発していきます。

　技術的には、3本目の大陰線で打診買い[注]を行ない、翌週の陽線を確認して買い増しを行なうと効果的とされています。

【打診買い】相場の方向性がはっきりしないとき、少量の買い注文を入れて相場の反応を確かめること。

打診買いを検討してください。

◎実　例

上はFDK（6955）の週足です。2001年2月第3週より大陰線が3本連続し、「三手大陰線」を形成しました。その後、3月に一段安を見せますが、第4週に大陽線を立て、戻り高値[注]を試す展開となりました。

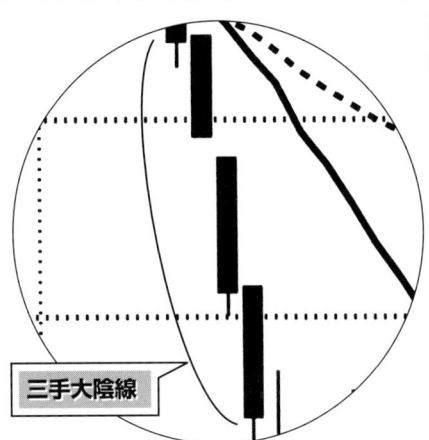

三手大陰線

【戻り高値】相場が反発に転じてから付けた高値。「戻り高値を試す」とは、下落前の高値に対しどこまで戻るかを探るように高値に向かうこと。

（3）最後の抱き陰線

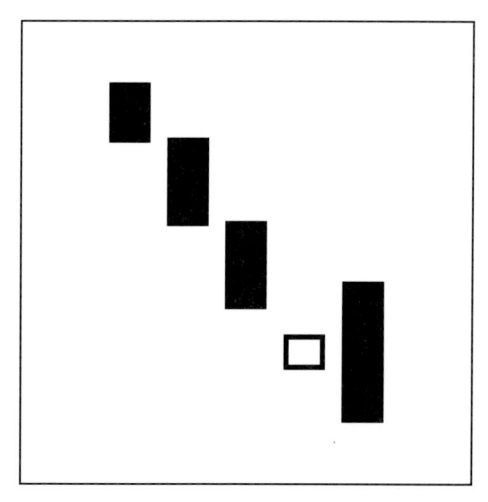

◎相場の環境と足型の特徴

　下落相場の途中で、小陽線を大陰線が抱いたもの。前週引け値（終値）より大きく値を上げて寄り付いたものの、最終的に大幅に下落して引けてしまった状態。

◎買い手の行動と心理状態

　しばらく続いた下落相場で、投資家は疲弊しています。そんな中、小陽線が出現し一息つきますが、翌週は大陰線となってしまい、投資家は再び絶望の淵に立たされます。

◎状況分析と相場の暗示

　こうした下落局面での小陽線は、一部の投資家から打診的な買い注文が入っていることの表われです。また、結果的に大陰線となった週は前週の引け値を大きく上放れて寄り付いていますが、これは投資家の中に、相場の反転を見込み上値追いを行なうなどの買い意欲が戻ってきていることを意味しています。

　こうした値動きから、相場が自律的な反発局面を迎えつつあることを推測できます。

　予期せぬ悪材料が出たため、損失に耐え切れなくなった投資家などから売り注文が大量に持ち込まれ大陰線が形成されてしまいますが、相場はこれでアク抜けした（投資家の買い建て玉はほぼ解消された）といえ、次第に底入れし、反発に転じていきます。

> 買い建て玉を仕込むチャンスの到来です。

- 【抱き陰線】小陽線に続いて大陰線が出て、小陽線の高値・安値が大陰線の寄り付き値・引け値のあいだに収まってしまうことをいいます。逆に、小陰線に続いて大陽線が出たものは「抱き陽線」です。「抱き陰線」については134ページ、「抱き陽線」については82ページを参照して下さい。

第4章◆「ローソク足」チャートの複合線はこう読む

01 底入れを暗示する足型

◎実　例

 上は山武（6845）の週足です。相場の下落途中、2001年3月第3週の大陰線が前週の小陽線を抱き、「最後の抱き陰線」を発生させています。
 相場は底を打ち、反発しています。

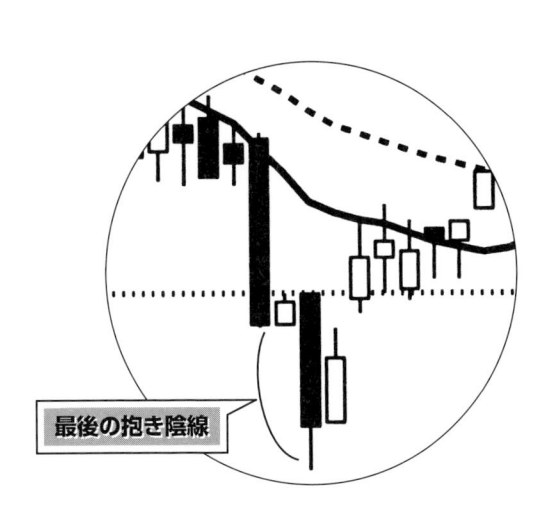

最後の抱き陰線

57

（4）明(あ)けの明星(みょうじょう)

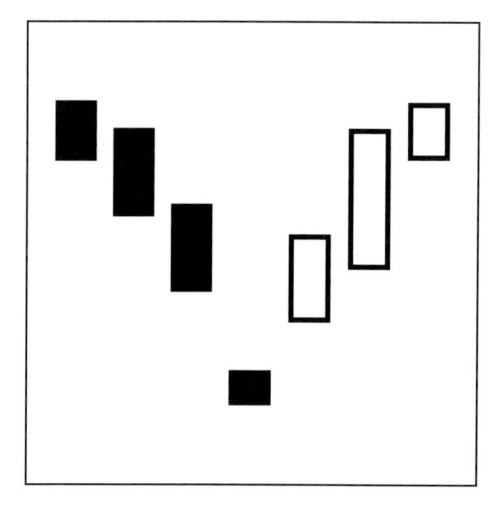

◎相場の環境と足型の特徴

当該週を挟んで前後のローソク足の間に「マド」が開き、遊離した「陽または陰のコマ」を「星」といい、星の出現をきっかけに下落相場が上昇に転じたものが「明けの明星」です。

◎買い手の行動と心理状態

下落相場が続く中、投資家は失望感を強めます。一部の投資家はすでに含み損に耐えられなくなっており、買い建て玉を投げ売ります。しかし、直後に相場は急反発、投資家に安堵感が戻り、次第に買い注文が集まります。

◎状況分析と相場の暗示

いわゆる「セリングクライマックス」の典型です。これまで耐えに耐えていた投資家からの最後の投げ売りが下方へのマド開け（ギャップダウン[注]）を発生させました。取引所などが閉じている週末に一段と悪い材料が出現したため、買い建て玉（ロングポジション）を処分することができず、翌週初めに寄り付きと同時に成り行きでの売り注文を殺到させたためと推測されます。

しかし、この場合の注目点は「星」の部分が「コマ」になっているところです。「マド開け」を生じさせるほどの売り注文が持ち込まれたにもかかわらず、引け値（終値）は寄り付き値とあまり変わりません。これは、売り注文の大半が消化されてしまったことを意味し、潜在的な反発力の高まりを示唆しています。

その後も下落が続けば、相場は一段安を見ますが、おそらく悪材料が公式に否定されたのでしょう。「コマ」の翌週は様相が一変、成り行き買い注文が集中し、上方へのマド開け（ギャップアップ）が生じています。

【ギャップダウン】前週の安値より翌週の高値が安いこと、または前週の引け値より下位で寄り付くこと。つまり、下落途中でのマド開け。逆に、上昇過程のマド開けが「ギャップアップ」。

するとこれに伴って、これまで悲観一色であった投資家たちに安堵感が芽生え、次第に買い注文が入り始めます。その後、相場が上昇すればするほど投資家の期待感は高まっていくのです。

> 新規買いのチャンスです。手仕舞ってしまった買い建て玉は復元することも検討してください。

◎実　例

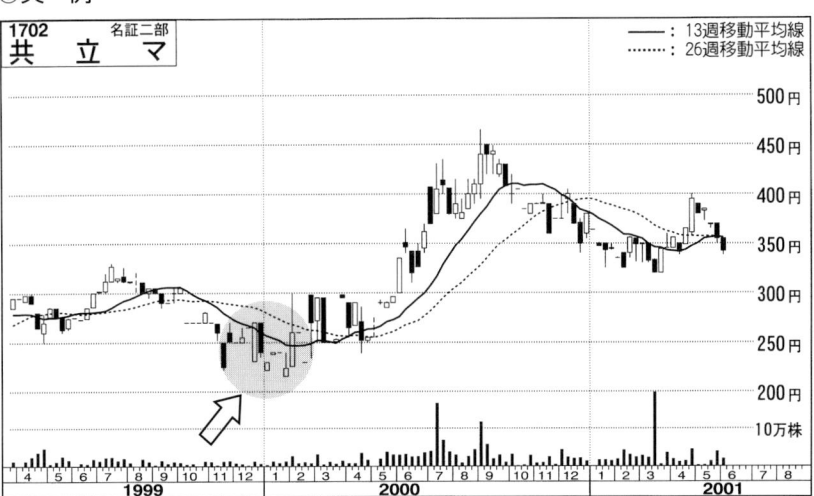

上は共立マテリアル（1702）の週足です。1999年8月以降、下落相場が続く中、1999年12月最終週に大陰線が入り、翌週は下放れて小陽線が出現、三手もみ合い[注]をみたのちに大陽線を立てました。この時の下放れ小陽線が「明けの明星」です。

相場は大底入れとなり、力強く上昇していきました。

【三手もみ合い】相場が小幅な上下動を繰り返し、上がるとも下がるとも判断がつかない様子を「もみ合い」といいます。ここでは、そうした状況が3週間続いたということです。

（5）捨て子底

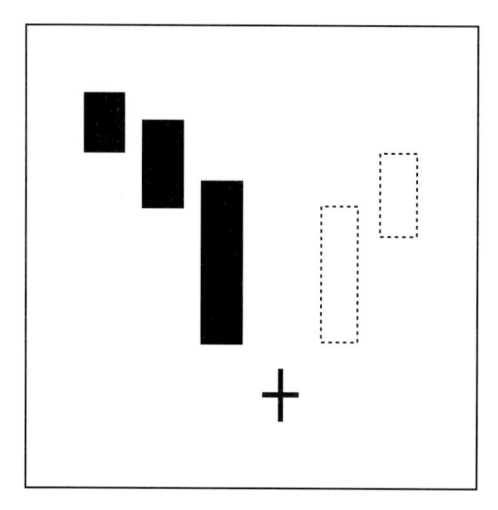

◎相場の環境と足型の特徴
　しばらく続く下落相場の途中、大陰線が出現し、翌週はマドを開けて「下放れクロス（十字線）」が形成されたもの。

◎買い手の行動と心理状態
　下げ相場が続いて投資家の不安感が高まる中、思わぬ悪材料が出現すれば絶望感からいっせいに売り注文が持ち込まれ、大陰線が形成されます。さらに翌週も寄り付きから成り行き売りが殺到したことで、ギャップダウンが生じました。

◎状況分析と相場の暗示
　下落相場が長きにわたったため、投資家の買い建て玉（ロングポジション）は次第に解消されてきていました。そして予期せぬ悪材料は投資家の投げ売りをさらに加速させますが、加えて大陰線が形成された週は、引け時点で相当量の売り注文が未消化のまま残ってしまった状態と考えられます。その売り注文は翌週まで持ち越され、価格水準が大きく下方に修正されることでようやく取引が成立したため、マドが開いてしまったのです。
　しかしながら、クロス（寄り付き値と引け値が同値）となったことは相場の底固さも示しています。ここから潜在的な反発力（新規に株式などを購入する投資家）の存在と、価格水準によっては市場の需給がバランスしたことも推測できます。
　下方へのマド開けが生じた時点で、持ち値（購入価格）の悪い投資家の買い建て玉はほぼ消滅してしまったと考えられ、材料次第で相場は反発に向かいやすい環境になったといえます。
　クロスの翌週が陽線となれば、底打ちが確認されます。

一手先んじて買い仕込みを行なうチャンスの到来です。

◎実　例

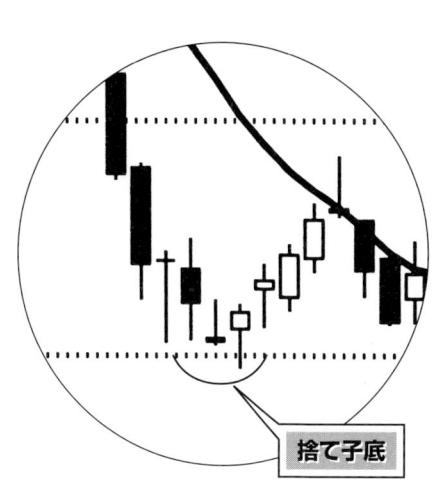

（チャート：5201 旭硝子 東証一部、13週移動平均線／26週移動平均線、2000年～2002年）

捨て子底

上は旭硝子（5201）の週足です。2001年5月に戻り天井を形成し、相場は大きく下落していきました。8月中旬から大陰線が連続する中、9月第3週にはマド開け後、下放れて十字線が出現、「捨て子底」となりました。翌週が「陽のコマ」となったことで底打ちが確認され、その後相場は緩やかな上昇過程をたどっています。

（6）大陰線のはらみ寄せ

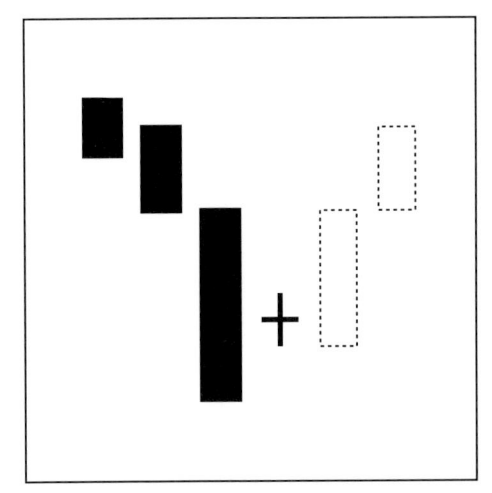

◎相場の環境と足型の特徴

　しばらく続く下落相場の途中、大陰線が出現し、翌週のクロス（十字線）を実体の中央付近ではらんだもの[注]。

◎買い手の行動と心理状態

　下げ相場が続く中、投資家の不安感はつのり、さらなる悪材料が出現すれば絶望感から投げ売りが持ち込まれ、大陰線が形成されます。しかし翌週は、安値を上放れての取引となったため下値不安はいくぶん和らぎます。かといって、上値追いには慎重な投資家が多く、総じて気迷い状態です。

◎状況分析と相場の暗示

　長期間にわたる相場の下落とともに、投資家の買い建て玉（ロングポジション）は次第に解消されてきています。そして、一段の悪材料は投資家の投げ売りを加速させ、大陰線を形成させます。

　この足型の注目点は、クロスが大陰線の実体の中央付近に出現しているところです。

　前週はおおむね安値引けとなったものの、週末に悪材料が公式に否定されるなどした結果、クロス出現の週は前週の引け値（終値）を上方に放れて寄り付いたものと推測されます。

　市場には、新規の買い注文が入り始める一方で、買い建て玉を圧縮するための売り注文も入り、また現段階では積極的に上値追い[注]を行なう投資家は少ないことなどから、もみ合い相場となり、最終的に引け値は寄り付き値と同値になったと考えられます。

　こうした値動きから市場の需給バランスが均衡しつつあることを読み取れます。

- 【はらむ】前週（前日、前月）の実体に翌週（翌日、翌月）の実体がスッポリ入ってしまうことをいいます。
- 【上値追い】価格の上昇に合わせて買っていくこと。「高値追い」（17ページ注参照）と同じ。

あとはきっかけ待ちですが、この場合、翌週に陽線が立てば、底打ちの最終確認ができたことになります。

> 買い出動のチャンスです。

◎実　例

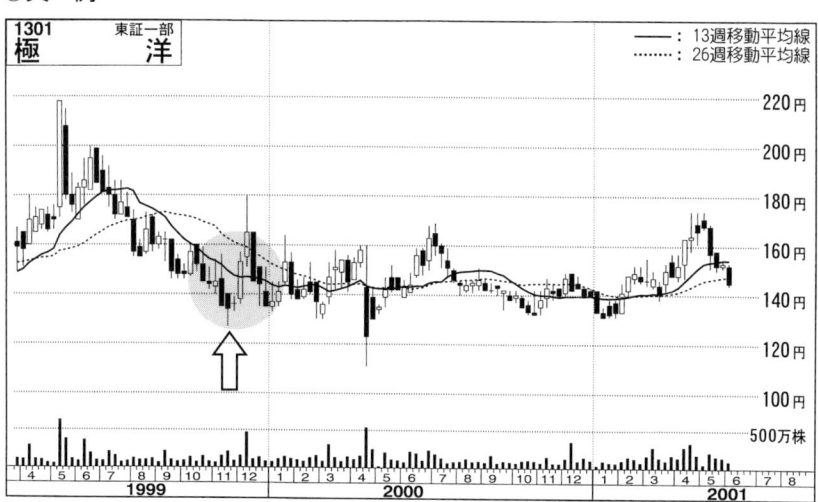

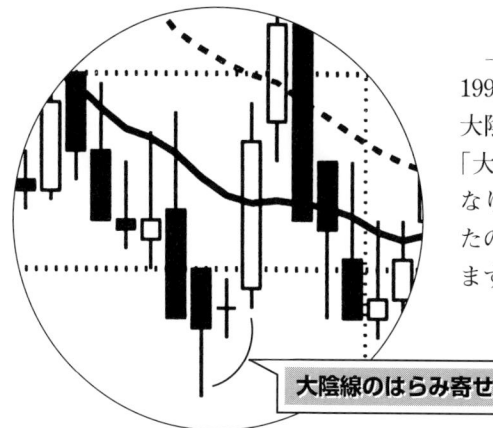

上は極洋（1301）の週足です。1999年11月第3週の下ヒゲの長い大陰線が翌週のクロスをはらみ、「大陰線のはらみ寄せ」の出現となりました。相場は急反発を見せたのち、もち合い圏を形成しています。

大陰線のはらみ寄せ

（7）たくり線

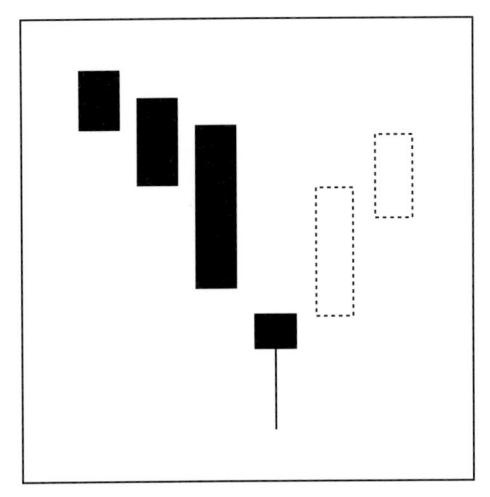

◎相場の環境と足型の特徴
　しばらく続く下落相場の途中、大陰線が出現し、翌週はマドを開け下放れた「陰のカラカサ」（または下影陰線）が形成されたもの。

◎買い手の行動と心理状態
　投資家は絶望感から、買い建て玉処分のための売り注文を殺到させます。大陰線形成の翌週も大口の売りモノが持ち込まれ取引水準を大きく押し下げましたが、安値圏からは放れて引けています。しかしながら、この段階では投資家の下値不安は払拭されません。

◎状況分析と相場の暗示
　大陰線が形成された週は、引け時点で相当量の売り注文が未消化のまま残ってしまいました。よって翌週は、寄り付きでの成り行き売り注文が殺到、ギャップダウンが生じています。
　さて、ここでの注目点は陰のカラカサ（または下影陰線）の下ヒゲです。この週は寄り付き直後から大規模な売り注文が持ち込まれたために、比較的早い段階で安値を示現[注]したものと思われます。しかし、その後売買が交錯し、時間が経過するにつれ売り圧力が減退する一方で、次第に新規買いなどによる買い圧力が勝り、引けにかけて大きく値を戻した様子を見て取れます。
　そして、安値からの戻しが大きければ大きい（下ヒゲが長い）ほど、相場には潜在的な反発力が高まってきていることの証になります。

【示現】元来は宗教用語で、仏様が形を変えて現世に姿を現わすことなどを指しますが、相場用語としては、ある値が付いたことを強調したいときなどに用います。

第4章◆「ローソク足」チャートの複合線はこう読む

01 底入れを暗示する足型

一手先んじて買い仕込みを行なうチャンスの到来です。

◎実　例

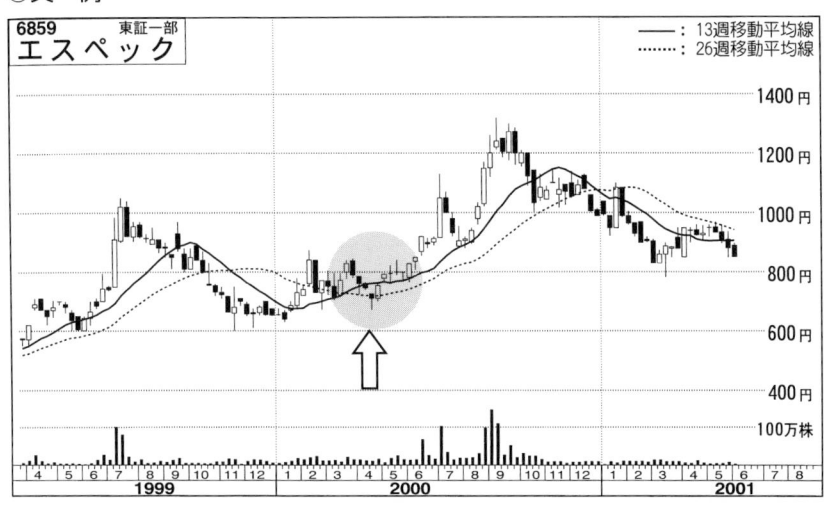

上はエスペック（6859）の週足です。戻り高値からの下落途中、2000年4月第3週に陰のカラカサが出現、「たくり線」を形成し、相場は底入れしています。9月に向け、大幅な上昇相場となりました。

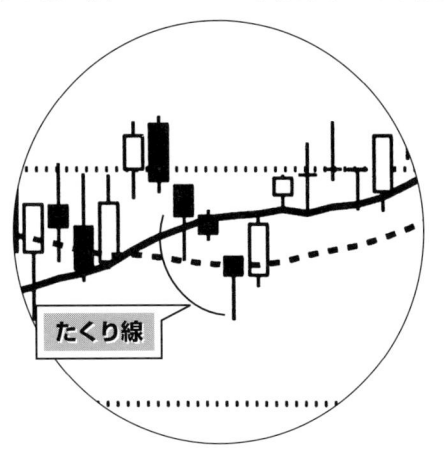

たくり線

65

（8）勢力線(せいりょくせん)

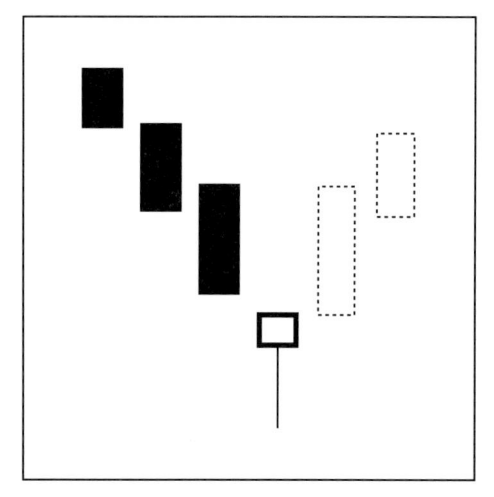

◎相場の環境と足型の特徴

　下落相場がしばらく続く中、マドを開けて下放れて「陽のカラカサ」（または下影陽線）が出現したもの。

◎買い手の行動と心理状態

　投資家は大いに失望しており、買い建て玉を圧縮しています。パニック的な投げ売りが一時的に相場を大きく押し下げますが、この週は何とか陽線引けすることができました。投資家の下値不安は完全に払拭されたとは言い難いものの、安堵感は芽生え始めます。

◎状況分析と相場の暗示

　週末にデマ・うわさなども含めた悪材料が出回ったために、陽のカラカサ出現の週は寄り付き直後から大規模な売り注文が持ち込まれ、一時的に大幅安を演じたものと推測されます。

　下落相場が長期間続いたことで、市場の買い建て残高（ロングポジション）はすでに減少しており、ギャップダウン後の下ヒゲ形成過程で持ち値（購入価格）の悪い買い建て玉はほぼ解消されたと考えられます。

　その後、週後半に向けて相場は急反発していきますが、背景には前週末に出た悪材料が公式に否定されたり、あるいは悪材料の出尽くしで相場がアク抜けし、新規の買い注文が入りやすい環境が整ったことがあると推測されます。

　安値からの戻しが大きければ大きい（下ヒゲが長い）ほど、相場に潜在的な反発力が高まってきている証になります。

第4章◆「ローソク足」チャートの複合線はこう読む

01 底入れを暗示する足型

一手先んじて買い仕込みを行なうチャンスです。

◎実　例

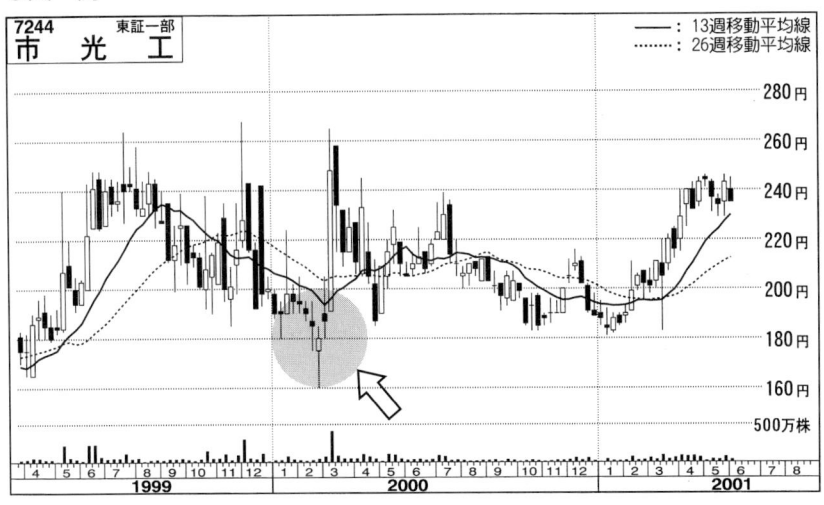

（市光工業 7244 東証一部 週足チャート：13週移動平均線・26週移動平均線）

上は市光工業（7244）の週足です。下落基調が続く中、2000年2月第4週に下放れて下影陽線が出現、「勢力線」となりました。翌週の陰のコマを経て3月第2週には大陽線を立ち上げ、相場は底入れしています。

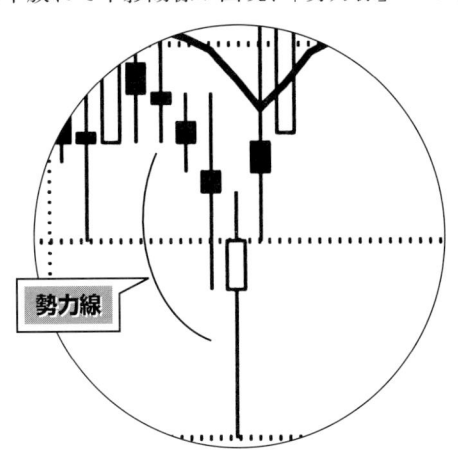

勢力線

67

（9）陰の陰はらみ

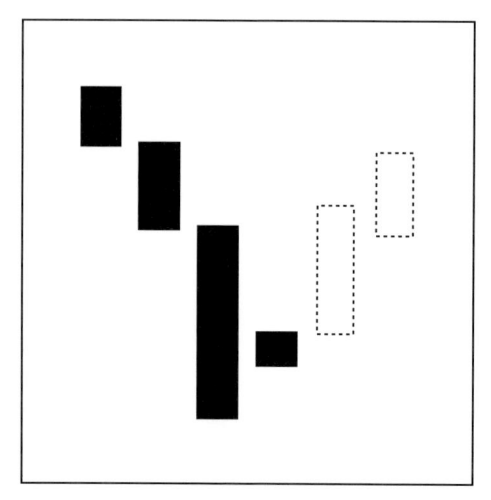

◎相場の環境と足型の特徴

相場の安値圏で大陰線の翌週小陰線が出て、この小陰線が前週の大陰線にスッポリとはらまれたものです。

◎買い手の行動と心理状態

大陰線は弱気相場の典型、そして小陰線も先安を示唆します。陰線が連続しているため、投資家の失望感は大きく、市場では弱気な見方が支配的です。よって、投資家は買い建て玉を圧縮することを最優先させ、冷静さを欠いた状態にあるといえます。

◎状況分析と相場の暗示

確かに大陰線・小陰線はともに相場の弱気・先安などを暗示し、ましてやその連続となると相乗効果もあり、開き直る以外とても新規に買い注文を入れることはできない、という見方は理解できなくもありません。

しかし、この足型の注目点は、安値圏で出現しているということと、陰線ではあるものの小陰線の週の引け値（終値）が前週の引け値よりも高い水準にあるということです。

つまり、相場はすでに大きく下げてきたため投資家の買い建て玉（ロングポジション）は減少してきており、大陰線形成局面で一段と解消されたと推測されます。また、小陰線の週は前週の引け値を上放れて寄り付いており、相場に潜在的な反発力が戻ってきていることを意味します。しかし市場では依然として弱気な見方が大勢を占めているため、投資家の売り注文が上値を押さえ、相場は小緩みます[注]。ただし、引け値は前週のそれより高く、ここからも売り圧力が大きく減退したことを読み取ることができます。

投資家の投げ売りは一巡しており、相場は反発に向かいやすい環境になったといえます。

【小緩む】一時的に上昇の勢いが削がれ、価格が小幅下落すること。

01 底入れを暗示する足型

安値圏で出現した際には、買い出動のチャンスです。

◎実　例

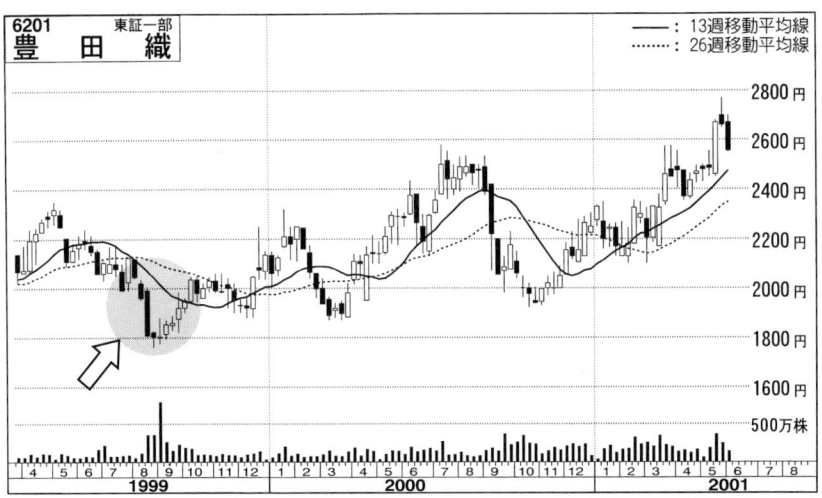

上は豊田自動織機（6201）の週足です。1999年8月第3週の大陰線が翌週の小陰線の実体の大部分をはらんだことで、安値圏での「陰の陰はらみ」が出現、相場は上昇に転じています。

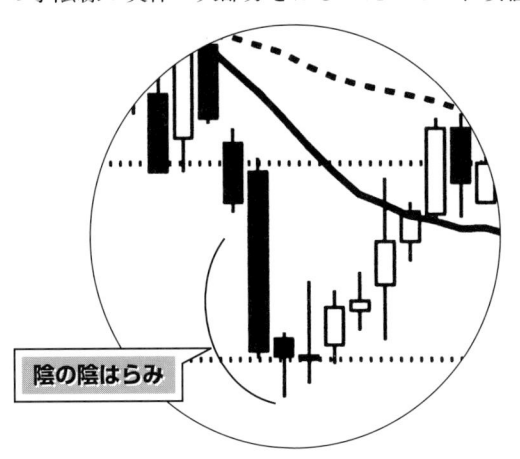

その後、2000年の8月まで上昇基調が続きました。

陰の陰はらみ

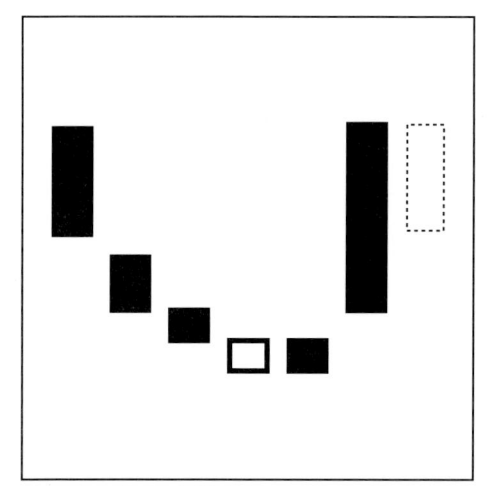

(10) 放れ五手黒一本底(はなごてくろいっぽんぞこ)

◎相場の環境と足型の特徴

相場の下落途中で、下方にマド開けが生じ、しばらく弱もち合い相場が続いた後、突如上放れて寄り付き、大陰線が形成されるという一連の過程。

◎買い手の行動と心理状態

下落相場が続く中での下方へのマド開けは、投資家に恐怖感を与えます。投資家はやむなく買い建て玉の手仕舞い売りを進め、相場は軟調に推移します。数週後、唐突に安値圏から大きく上放れて寄り付く局面が見られましたが、期待もむなしく大陰線となってしまい、投資家は再度失望してしまいます。

◎状況分析と相場の暗示

下方へのマド開け(ギャップダウン)が生じた後、市場にはこれまで以上に買い建て玉(ロングポジション)の処分売りが持ち込まれます。一方で、下げ相場が長期にわたったため相場の水準自体には値頃感[注]も出てきており、新規の買い注文も少なからず入ってくることから、数週間は軟調地合いながらももみ合い相場が続きます。

そこで突如、安値圏を上放れて寄り付くという事態が起きるわけですが、これは直前の週末にデマ・うわさなども含めて投資家に好感される予期せぬ材料が出たためと推測されます。

しかしながら、この材料はのちに公式に否定されるなどしたため、新規買いを行なった投資家や、"塩漬け"状態となっていた買い建て玉を解消する好機と見た投資家などからいっせいに売り注文が持ち込まれ、市場の需給が一挙に供給超過に傾くことで大陰線となってしまったものと考えられます。

この大陰線の形成過程で、持ち値(購入価格)の悪い買い建て玉はほぼ消滅したと推測でき、きっかけ次第で相場が反発する素地が出来上がったとみ

【値頃感】投資家に、売買するのにふさわしいと思わせる価格。

なすことができます。

　技術的には、大陰線の翌週の寄り付きが大陰線形成の週の引け値（終値）を上回ったことを確認してから、買いに入ります（下回った場合は様子見です）。

新規に買い出動を行なうチャンスです。

◎実　例

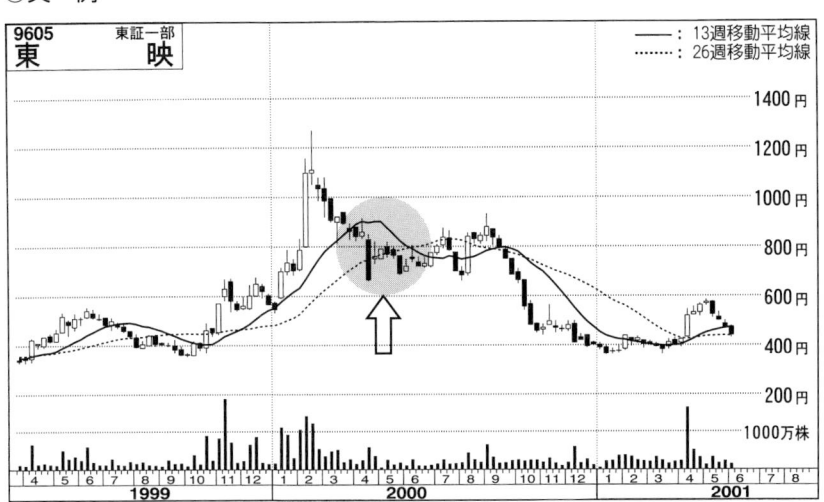

　上は東映（9605）の週足です。相場の下落途中、2000年4月第3週に下放れて大陰線が入り、1か月ほどのもみ合いののち、5月第4週に再び大陰線を出現させました。

　2番目の大陰線はやや低位からの出現となっていますが、「放れ五手黒一本底」が形成されました。相場は底入れ後、小反発[注]を見せています。

【小反発】それまでの下落基調が上昇に転じるのが「反発」。その上昇が小幅で終わった場合を「小反発」といいます。

（11）やぐら底

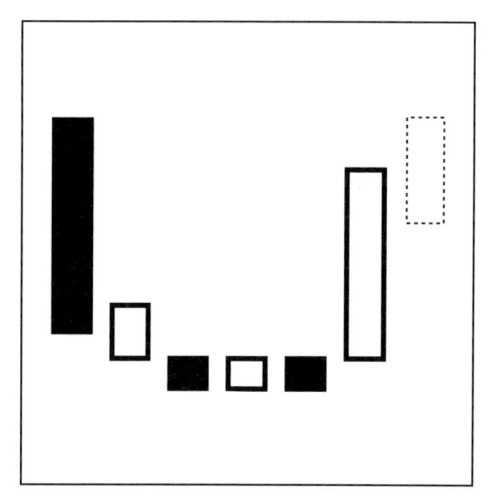

◎相場の環境と足型の特徴

相場の下落途中で大陰線が出現し、しばらくもみ合い相場が続いたあと、突如大陽線を立ち上げたもの。

◎買い手の行動と心理状態

投資家の大口の投げ売りなどが大陰線を形成させました。その後は、買い建て玉の手仕舞い売りと新規の買いで売買が交錯、もみ合い相場が続きました。そんな折、突如出現した大陽線に投資家は上昇に対する自信を深め、買い注文を持ち込み始めます。

◎状況分析と相場の暗示

市場に存在する持ち値（購入価格）の悪い買い建て玉（ロングポジション）は、大陰線の形成とそれに続くもみ合い相場の中で、ほぼ解消されてしまったと推測されます。

また、下落相場が長く続いたために、株価はその本質的価値（ファンダメンタルズ）から大幅に下方乖離していると考えられます。

好材料に反応しやすい相場環境が整ってきたといえ、例えば業績結果や将来見通しなどが市場の事前予想を大きく上回るなどの材料が出現すれば、投資家は素直に反応し新規の買い注文を殺到させます。このようにして大陽線が立ち上がります。

こうした場合、その後も買い注文を集めやすく、相場は大底を形成し継続的な上昇を期待することができます。

新規に買い出動を行なうチャンスです。

◎実　例

[6770 東証一部 アルプス 週足チャート、13週移動平均線・26週移動平均線]

　上はアルプス電気（6770）の週足です。2000年2月第3週に大陰線が入ったあと数週間安値圏でもみ合いが続き、3月第4週には大陽線を立てました。これで「やぐら底」が形成され、相場は大底入れとなりました。

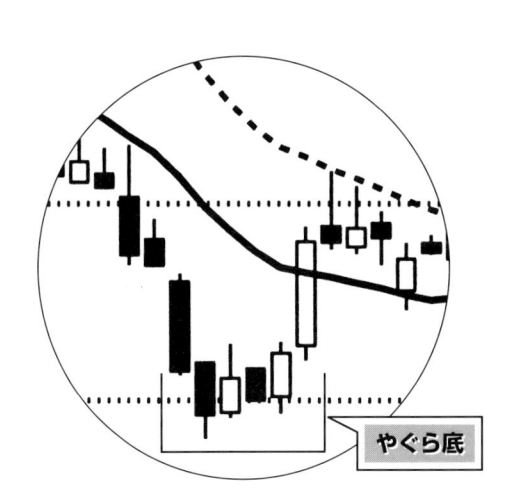

[やぐら底の拡大図]

(12) 小幅上放れ黒線

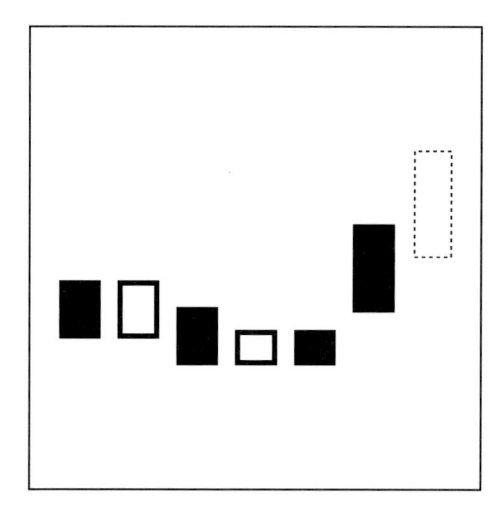

◎相場の環境と足型の特徴

　安値圏でしばらくもみ合い相場が続いたのち、小さくマドを上方に開けて陰線が出現したもの。

◎買い手の行動と心理状態

　安値圏ではあるものの、相場はいっこうに力強い上昇を見せず、投資家のあいだには次第に諦めムードやしらけムードが漂い始めます。そんな折、突然の上放れ寄り付きで下値不安は払拭されますが、投資家は上昇の継続に対し依然懐疑的なため、上値では着実に売り注文を持ち込みます。

◎状況分析と相場の暗示

　いうまでもなく、投資家にとって最も好ましいのは上昇相場です。次に好ましいのは基調（トレンド）のはっきりした相場です。なぜなら、たとえ下落相場であったとしても、基調が明確であれば比較的対処がしやすいからです。どう欲目にみても相場に反転の可能性がない場合、手仕舞うしかありません[注]。

　安値圏ではあるものの小幅なもみ合いを続ける相場は、最も厄介なものの一つです。以前から買い建て玉をもっている投資家も、新規に購入した投資家も、安値圏であるがゆえに手仕舞うにもふんぎりがつかず、とりあえず成り行きを見守るといった状態になりがちです。つまり、市場には依然として相応の買い建て玉が存在していると考えられます。

　そんな際に、安値圏を上放れて相場が寄り付けば、買い増しを行なうよりはむしろ買い建て玉を解消したいと考える投資家のほうが多く、そのためこの週は陰線引けとなったものと推測できます。

　目先、小幅な上昇を期待することができますが、一般的に力強い反発には

【注】さらに下落がはっきりしていれば、信用売り（カラ売り）などを行ない、売り建て玉（ショートポジション）をもつことも考えられます。

つながっていきません。

> 打診買いのチャンスですが、上値の重さが気になる場合、
> いったん手仕舞うほうが無難です。

◎実　例

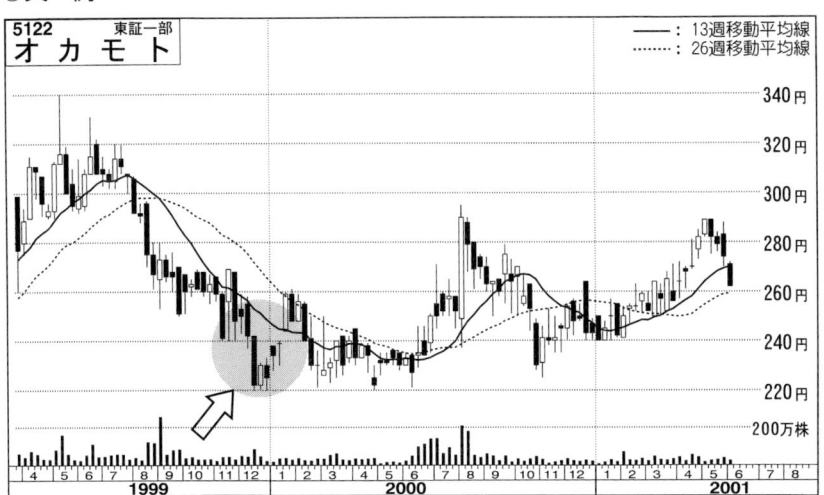

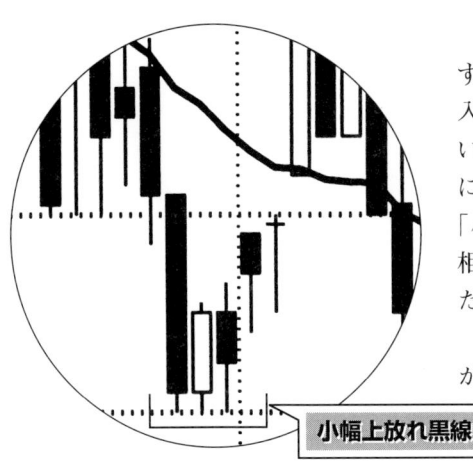

上はオカモト（5122）の週足です。1999年12月第3週に大陰線が入り、2週連続で安値でのもみ合いを見たのち、2000年1月第1週に上放れ陰線が出現。これにより「小幅上放れ黒線」が形成され、相場の下落は一服[注]となりました。

その後一時的に反発を見せますが、上値は重く、再度下落に転じ横ばい相場となっています。

【一服】相場の動きが一時的に止まること。上げ相場が止まれば「上げ一服」、下げ相場の場合は「下げ一服」のように用いられます。

(13) 放れ七手の変化底

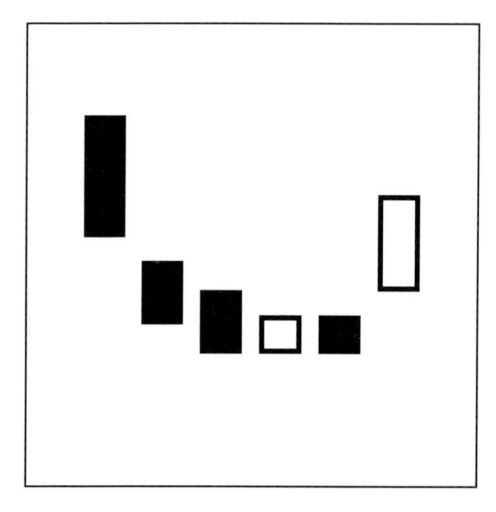

◎相場の環境と足型の特徴

相場の下落途中で、下方にマド開けが生じ、しばらく弱もち合い相場が続いた後、今度は上方にマド開けが生じ、陽線を立てた一連の過程。

◎買い手の行動と心理状態

下落相場が続く中での下方へのマド開けは投資家に大きな失望感をもたらします。投資家はやむなく買い建て玉の手仕舞い売りを進め、相場は軟調に推移しました。数週後、唐突に安値圏から上放れて寄り付き、そのまま陽線引けとなった姿を見て、投資家は安堵感を覚えるとともに反発を期待し新規買いを持ち込みます。

◎状況分析と相場の暗示

下方へのマド開け（ギャップダウン）が生じれば、投資家は下値不安からこれまでにもまして買い建て玉（ロングポジション）の処分売りを持ち込むようになります。一方で、下げ相場が長期にわたったため株価には値頃感も出てきており新規の買い注文が入り始めるため、軟調地合いながらしばらくはもみ合い相場が続きます。

その後、相場は唐突に安値圏を上放れて寄り付きますが、これは直前の週末にデマ・うわさなども含めて投資家に好感される予期せぬ材料が出たためと推測されます。

持ち値（購入価格）の悪い買い建て玉はすでにおおむね解消してしまったものと推測されますが、それらの売り注文はもみ合い相場が続く間に新規に買い出動した投資家が吸収したものと考えられます。よって市場に存在する買い建て残高の絶対規模にあまり変化はなく、上放れ陽線を形成させた材料の効果が薄れてしまえば、相場が上昇の勢いを失ってしまうこともあります。

見た目の足型ほどには上昇力を期待できない点に注意が必要です。

> 打診買いのチャンスですが、上値の重さが気になる場合、
> いったん手仕舞うほうが無難です。

◎実　例

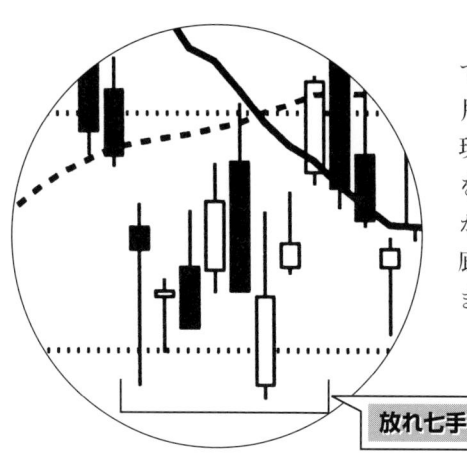

上は日立製作所（6501）の週足です。下落相場の途中、2000年3月第3週に下放れて下影陰線が出現、しばらく安値圏でのもみ合いを経て、5月第1週に上放れ陽線が立ちました。「放れ七手の変化底」となり、相場は小反発しています。

放れ七手の変化底

(14) 連続下げ放れ三つ星

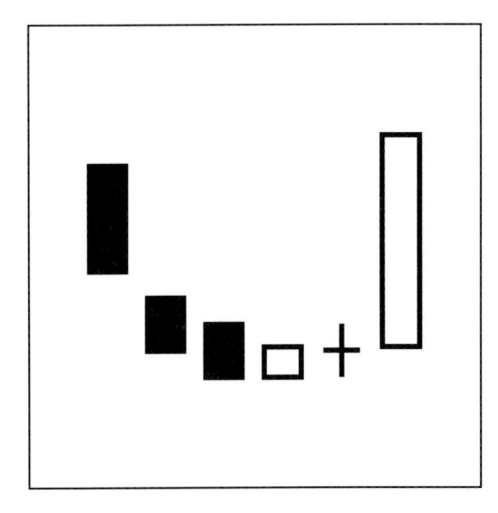

◎相場の環境と足型の特徴

　相場の下落途中で、下方にマド開けが生じ、しばらくもみ合い相場が続いたのち、下げ放れの週から数えて4週目がクロス（十字線）[注]となり、その翌週に大陽線を立ち上げた一連の過程。

◎買い手の行動と心理状態

　投資家は失望感を抱きながら相場の成り行きを見守っています。煮詰まった相場がクロスを出現させたところに、支援材料が出現して急反騰、買い注文が殺到したことで大陽線を立たせました。投資家は大きく自信を取り戻し、上昇期待を強めます。

◎状況分析と相場の暗示

　下方へのマド開け（ギャップダウン）は、投資家に一層の失望感と下値不安をもたらすため、買い建て玉（ロングポジション）の解消売り注文が増加します。一方で、値頃感から新規投資を開始する投資家も目立ち始め、しばらくはもち合い相場が続きます。

　そして、下げ放れの週から数えて4週目に出現したクロスは、次のように解釈できます。下げ放れが生じた直後は、投資家の処分売りと新規買いがぶつかり合いほぼ同水準で売買が交錯します。しかし、相場の方向性を決定づけるような材料がないことから、4週目ともなると買い建て玉を圧縮するための売り注文は一巡し、また値頃感からの買い注文も細っていきます。

　つまり、クロスの出現は、その価格水準で市場の需給バランスがおおむね均衡したことと、投資家が新たな材料の出現を待つなど次第に様子見姿勢を強めていることを示しています。

　さて、そんな折に出現した支援材料は、投資家の期待をはるかに上回るも

【注】実際の相場では、下げ放れの週から数えて4週目がクロスとなることはまれで、実体の小さいコマの出現も含めます。

のでした。投資家から新規の買い注文が殺到することで大陽線が立ち、相場はその後も力強い上昇を見せます。

> 新規に買い出動を行なうチャンスです。また、買い建て玉を圧縮してしまった投資家は復元を検討する局面です。

◎実　例

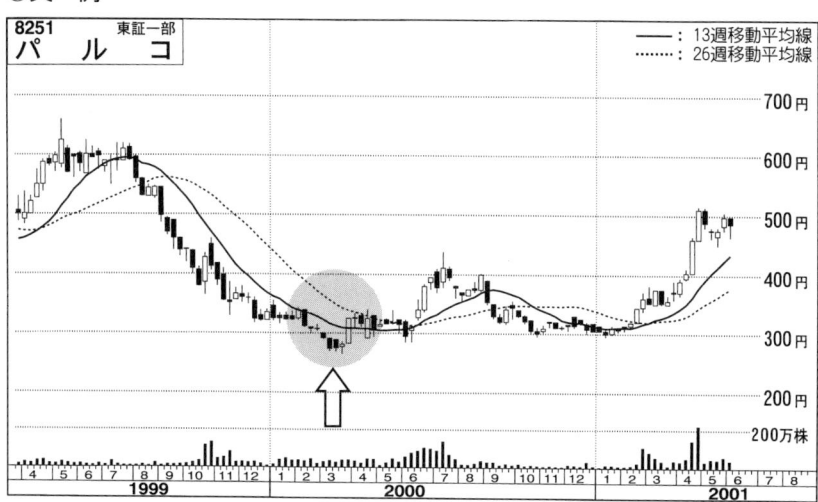

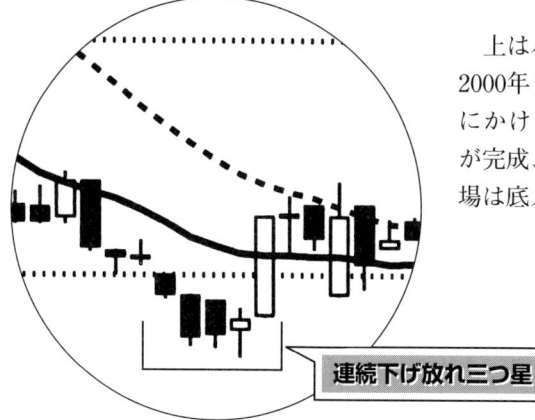

8251 東証一部　パルコ

上はパルコ（8251）の週足です。2000年2月最終週から3月最終週にかけて「連続下げ放れ三つ星」が完成、約8か月にわたる下落相場は底入れしています。

連続下げ放れ三つ星

01 底入れを暗示する足型

(15) 逆襲線（ぎゃくしゅうせん）

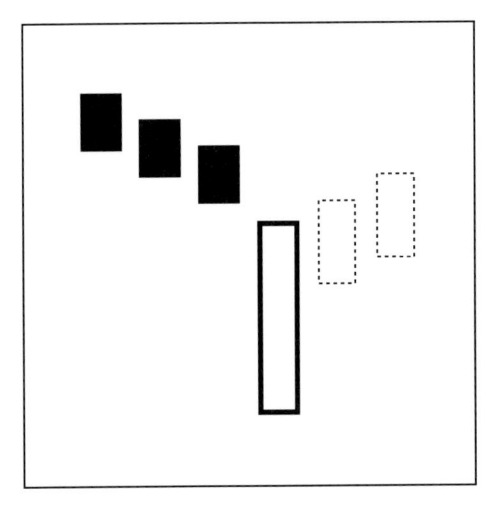

◎相場の環境と足型の特徴

相場の下落途中で、マドを開けて下放れた大陽線が出現したもの。

◎買い手の行動と心理状態

ただでさえ失望感が漂う中、突如、株式（企業）の根幹を揺さぶるような悪材料がもたらされたことで投資家は狼狽し、いっせいに買い建て玉の売却に動きました。相場は引けにかけて大きく値を戻しますが、投資家は一段の上昇についての確信は持てない状態です。

◎状況分析と相場の暗示

　この場合の悪材料は、どちらかといえば市場参加者がまったく予期し得なかったデマ・うわさの類であったと考えられます。それまでにも株価はジリジリと値を下げてきており、市場参加者はその株式の将来性について必ずしもポジティブな見方をしていませんでした。が、一方で、下方にマドを開け暴落して寄り付くほどのネガティブな要因も見出せなかったはずです。

　投資家は、週末に出回ったデマ・うわさに驚愕し、週明け寄り付きでパニック的に成り行き売り注文を集中させました。こうして相場は大幅に押し下げられますが、間もなく関係筋から公式にデマ・うわさを否定する見解が示され、投資家に安堵感が広がることで、買い戻しや新規の買い注文がいっせいに持ち込まれ、大陽線につながったと推測されます。

　ところで、この足型では前週の引け値（終値）と大陽線の週の引け値との間にマドが存在する点にも注意を払う必要があります。これは、投げ売ってしまった株式を買い戻したり新たに買い出動する投資家がいる一方で、相場の継続的な上昇には懐疑的な見方をする投資家も存在するためです。そうした投資家からの売り注文が戻りの頭を押さえたために、相場は十分には値を

戻しきれなかったと考えられます。懐疑的な見方はその後も消えず、この足型の出現による上昇は一般的に小反発程度にとどまってしまいます。
「火のないところには……」というレッテルを貼られてしまった銘柄が市場の信認を取り戻すには、相応の時間を要するということです。

> 打診的な買いモノについては、その後上値が重いようであれは、いったん利固めが無難です。

◎実　例

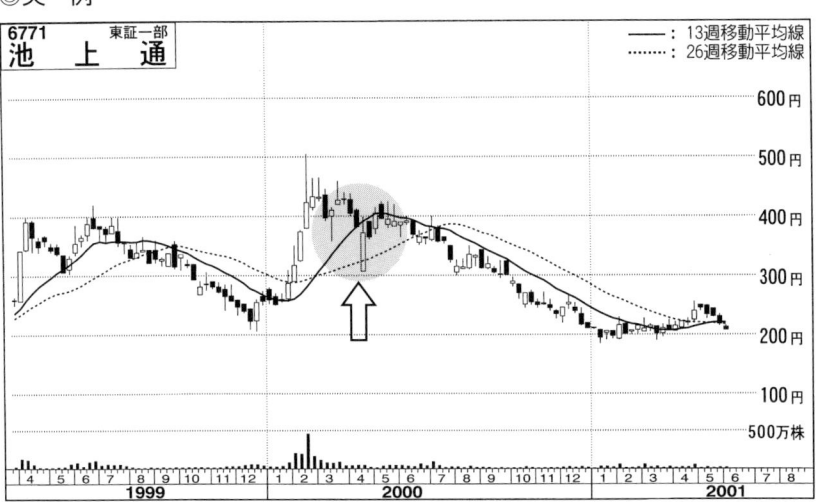

　上は池上通信機（6771）の週足です。高値からの下落途中、2000年4月第3週に「逆襲線」を発生させ、相場は小戻し[注]を見せました。
　しかし上値は重く、結局ジリ安相場となってしまいました。

【小戻し】下落基調が反発に転じ、小幅に値上がりすること。

（16）抱き陽線
いだ ようせん

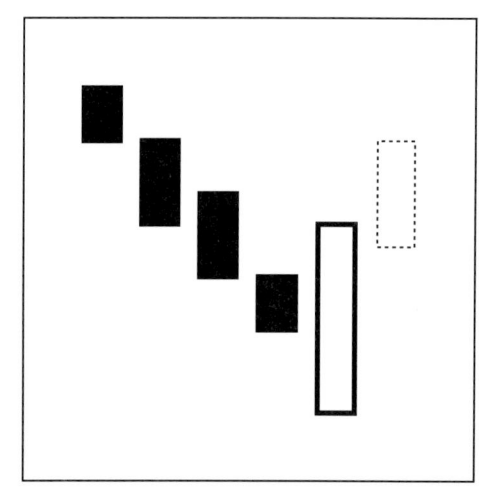

◎相場の環境と足型の特徴
　相場の下落途中で、小陰線の翌週に大陽線が発生し、大陽線が小陰線を包んだもの。

◎買い手の行動と心理状態
　下落相場が続く中、投資家は失望感を抱きながら買い建て玉（ロングポジション）の圧縮を進めてきました。突然立った大陽線は、投資家に安堵感をもたらすとともに、相場の反発期待感を高めさせます。

◎状況分析と相場の暗示
　比較的自然体での反発局面です。
　株価が下落していくに従い、投資家の失望感と下値不安感は増幅され、売り注文も増えるため、特段の支援材料がない中、相場はジリ安傾向を続けていました。
　そんな折に、好材料が突然発表されたり、またはそれまで市場を支配していた悪材料が公式に否定されたことなどをきっかけに急反騰を演じ、大陽線を立てました。
　特に、この足型が安値圏で出現した場合は、高値をつかんでしまった投資家の買い建て玉はほぼ解消していると考えられ、大陽線を好感した新規の買い注文が次第に相場を押し上げていきます。

> 安値圏での出現は、買い出動のチャンスです。

◎実　例

8233　東証一部　髙島屋

― : 13週移動平均線
‥‥ : 26週移動平均線

01

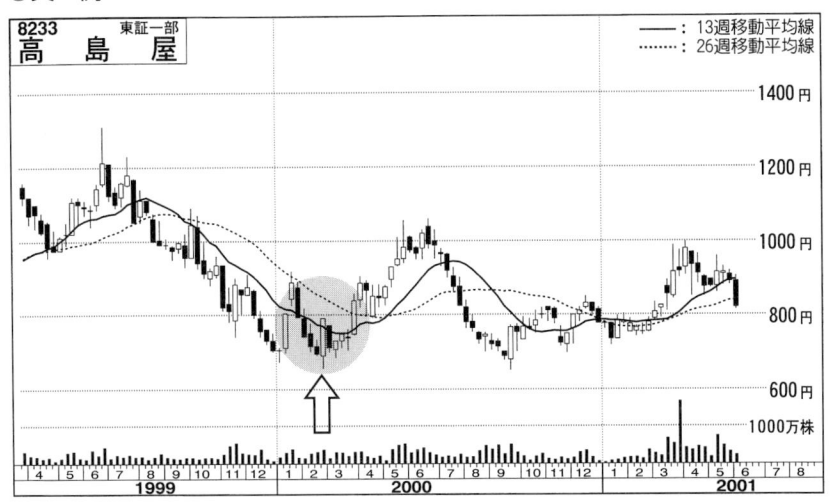

底入れを暗示する足型

　上は髙島屋（8233）の週足です。2000年2月第4週の大陽線が前週の小陰線をスッポリと包み、安値圏での「抱き陽線」となりました。
　これをきっかけに相場は底入れし、大きく上昇していきました。

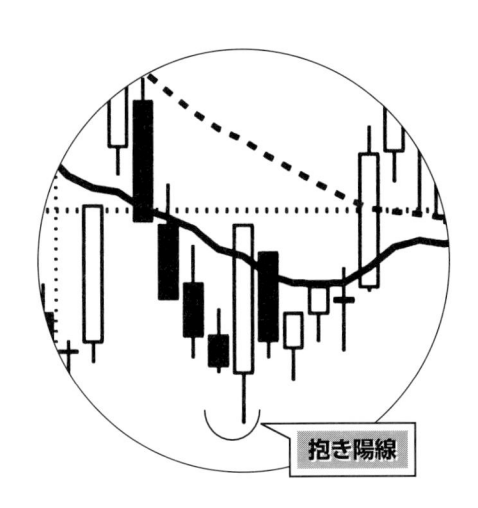

抱き陽線

(17) 寄り切り陽線(よきりようせん)

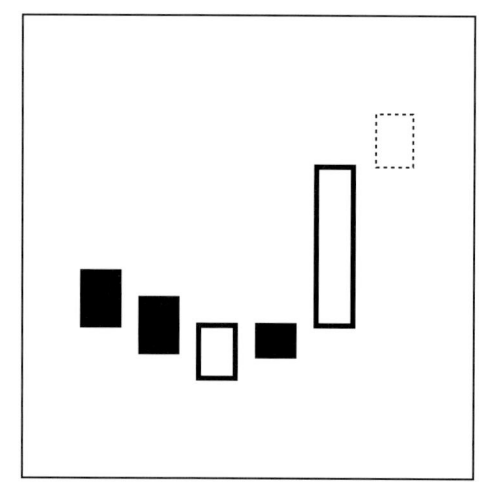

◎相場の環境と足型の特徴
　下落相場の途中あるいは安値圏で、突如「陽の丸坊主」や「陽の寄り付き坊主」を発生させたもの。

◎買い手の行動と心理状態
　下落相場または低迷相場が続いてきたために、投資家のあいだには失望感が漂い、手仕舞い売りなどが継続的に持ち込まれます。一方で新規の買い注文はあまり入らず、相場は軟調に推移します。そうした中、突然大陽線が出現。投資家は強い上昇期待感を抱きます。

◎状況分析と相場の暗示
　長期低迷相場が突然の盛り上がりを見せたという姿の典型です。
　「陽の寄り付き坊主」出現までの低迷期間が長ければ長いほど、市場の買い建て残高(ロングポジション)は減少しているといえます。
　手掛かり[注]材料難ということもあったのでしょうが、一般的には、投資妙味に欠ける銘柄として、しばらくの間「カヤの外」に放置されていたものです。
　ところが、相場とは面白いもので、こうした銘柄が些細な材料をきっかけに大相場に化けることがあります。投資家に、些細ながらも相場の支援材料としては十分に価値のあるものと認められれば、一躍脚光を浴び、次第に注目度合いも高まっていきます。
　こうした場合、相場の上昇とともに買い注文も増加していくため、大幅高を期待できます。

【手掛かり】投資家を売買に向かわせる動機となるもの。材料。単に「手掛かり難」というだけでも材料がないことを表わせます。

01 底入れを暗示する足型

安値圏での出現は、買い出動のチャンスです。

◎実　例

上はアラビア石油（1603）の週足です。2000年3月以降8か月ものあいだ相場らしい相場はありませんでしたが、11月第1週に「陽の丸坊主」を立て、「寄り切り陽線」を形成、その後相場は急騰を演じました。

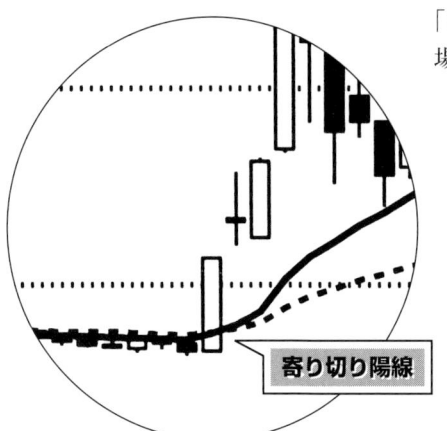

寄り切り陽線

02 上昇相場の幼少期に現われる足型

相場は悲観の中に生まれ、**懐疑の中に育つ**。楽観の中で成熟し、幸福感の中で消えてゆく

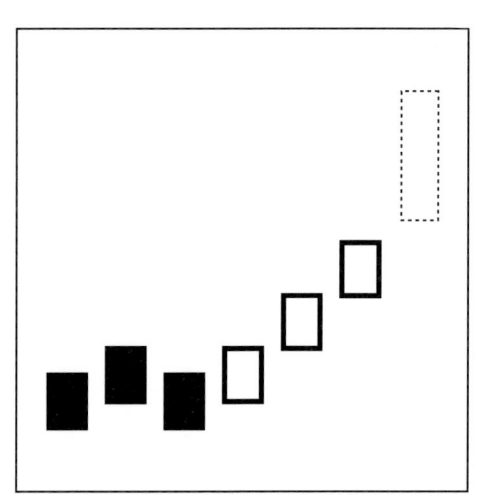

（1）赤三兵（あかさんぺい）

◎相場の環境と足型の特徴
　安値圏でもち合い相場が続いたのち、小陽線が3本連続して出現したもの。

◎買い手の行動と心理状態
　しばらく安値圏での取引が続いたために、この銘柄は投資家の興味の対象外でした。そんな折、陽線が3本連続しますが、投資家はこのまま上昇が続くか否かの判断がつかず、相場の成り行きを見守ります。

◎状況分析と相場の暗示
　決め手となる材料がはっきりしていれば、比較的相場には入りやすいものです。しかし、相場はある意味で不可解なもので、このように突如としてもち合い圏を抜けてくることがあります。値頃感から少数の投資家が打診的な買い注文を持ち込んでいる可能性もありますし、また一部の投資家が確たる情報をつかんで買いを入れている可能性もあります。
　ただ、大多数の投資家は原因がわからないため、この上昇が今後も継続していくか確信が持てず、買いあぐねてしまうことが多いといえます。理由がわからない投資家は、高値追いはできず押し目[注]を待ちますが、市場の買い建て残高（ロングポジション）は非常に少ないため、待ち構える水準まで緩むことなく相場は上昇を続けます。
　このような局面では、まず、「3週間連続での相場上昇の裏には何かある

- 【押し目】上昇相場の途中で、一時的にやや値を下げた状態。しかし、相場格言では「押し目待ちに押し目なし」といい、押し目を待っていると買いそびれる、と警告しています。

はずだ」と疑ってみた上で、打診買いなどを試みるのがよいでしょう。

新規に買い出動を行なうチャンスです。

◎実　例

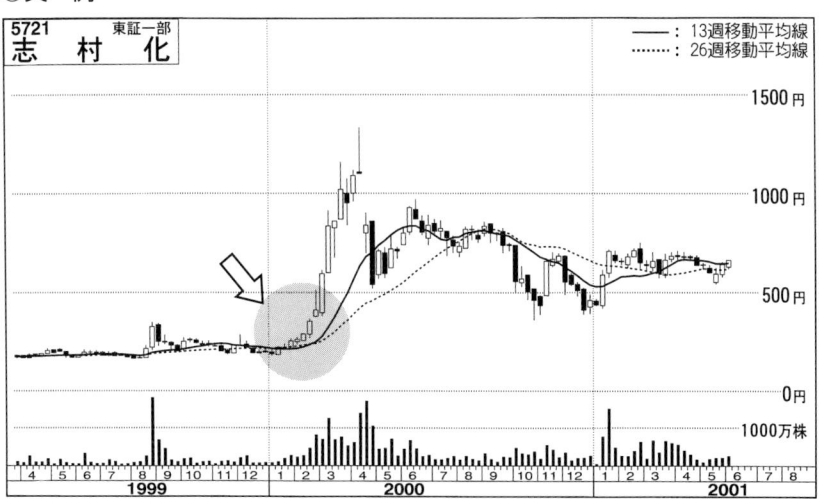

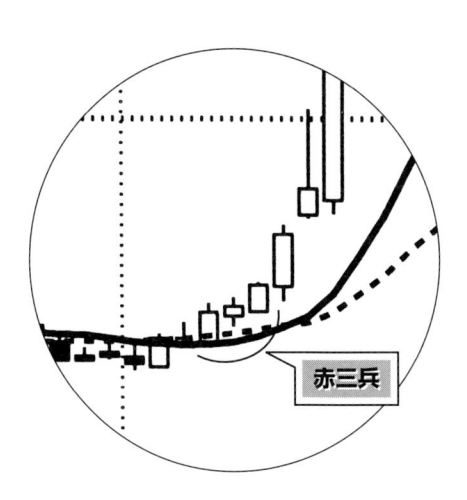

上は志村化工（5721）の週足です。長期間低迷状態にあった相場ですが、2000年1月最終週から小陽線が連続して立ったことで「赤三兵」が出現。その後、相場は急騰を演じました。

（2）下位の陽線五本

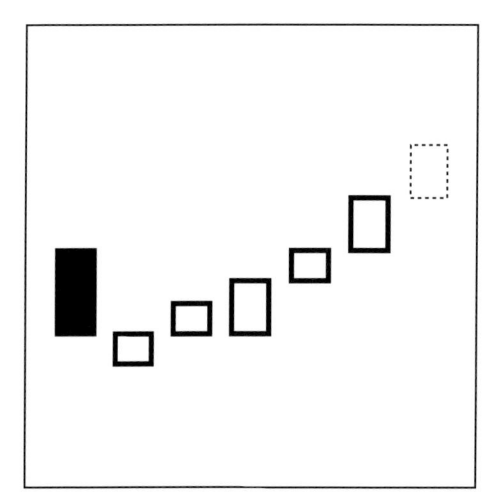

◎相場の環境と足型の特徴
　しばらく下落相場が続く中、陽線が5本連続して立ったもの。

◎買い手の行動と心理状態
　長期間低迷相場が続いていたために、投資家の注目度合いは低いものでした。そんな折、陽線が5連続で立てば、嗅覚の鋭い投資家の目にとまります。しかし、多数の投資家はこのまま上昇が続くのか判断がつかず、好機を逃しがちです。

◎状況分析と相場の暗示
　基本的な考え方は、「赤三兵」と同じです。
　長期間にわたる低迷相場の中で、投資家の買い建て玉（ロングポジション）はほぼ消滅してしまったものと推測されます。また、特段の相場支援材料も見当たらないことから、その後も投資家に注目されることはなく取引量も細っていたと思われます。
　そこで突如、陽線が連続して立ち始めるわけですが、銘柄の注目度合いが低かった分だけこうした動きは投資家の目にとまりづらく、相場を支援する材料が耳に入ってきた頃には、陽線が連続する前の水準をはるかに上回ったところに位置しています。
　多数の投資家は、株価が値頃感の出る水準まで低下したところでの購入を検討していますが、「押し目待ちに押し目はなく」相場は上昇を続けていきます。やがて、メディアなどが大きく取り上げたりすれば、急上昇を見せることにもなります。
　相場が安値圏でのもち合いを上放れしてくる局面では、打診買いなどを行なってみるとその後も相場を追いかけやすくなります。

第4章◆「ローソク足」チャートの複合線はこう読む

新規に買い出動を行なうチャンスです。

02 上昇相場の幼少期に現われる足型

◎実　例

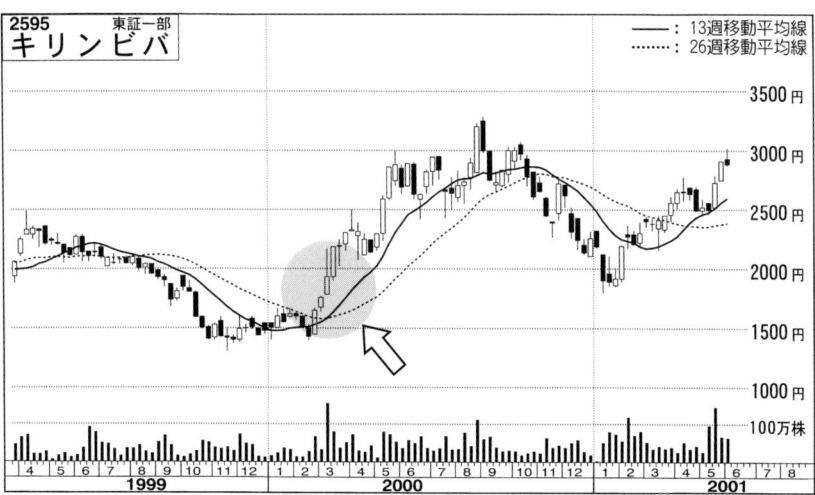

上はキリンビバレッジ（2595）の週足です。2000年2月第4週より陽線が連続して立ち、「下位の陽線五本」を発生させました。

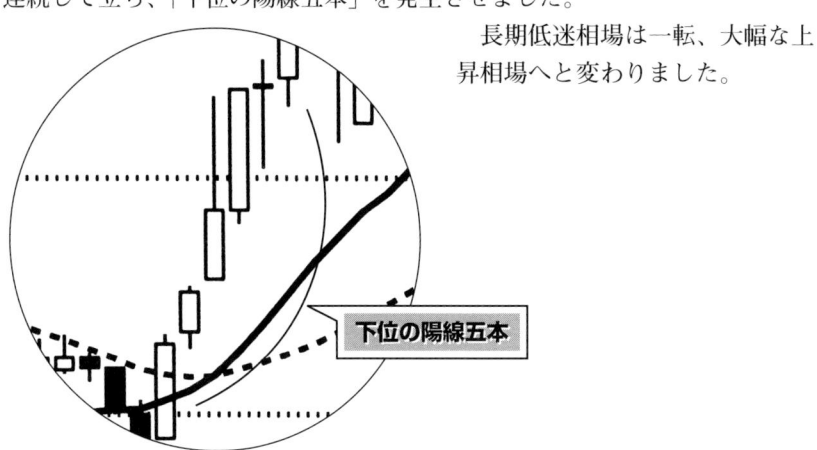

長期低迷相場は一転、大幅な上昇相場へと変わりました。

下位の陽線五本

89

（3）押え込み線

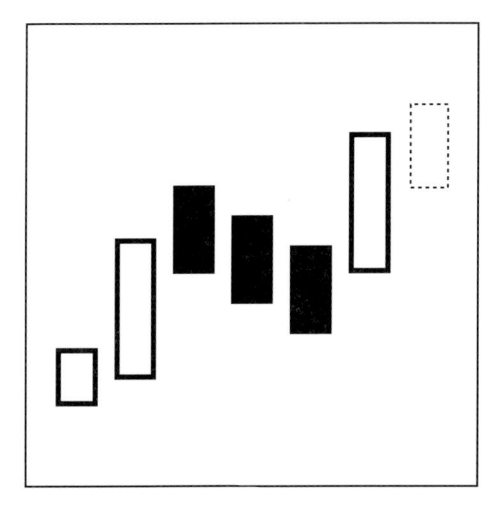

◎相場の環境と足型の特徴

上昇相場の初期段階で、突然上放れて寄り付いたあと陰線で引け、続いて2本の陰線が「連続線」[注]となり、その翌週は前週の引け値より上位で寄り付き、陽線となった一連の過程。

◎買い手の行動と心理状態

これまで上昇期待感を高め買い進めてきましたが、3連続陰線の出現で狼狽売りを持ち込んでしまう投資家も存在します。しかし、4週目に相場が再び大きく上昇することで、投資家の先高期待は一段と高まります。

◎状況分析と相場の暗示

上昇過程で現われた3本の連続陰線は、比較的相場の初期の段階で買い仕込みを行なっていた一部の投資家からの利食い売りによってもたらされたものと解釈できます。

一方で多くの投資家は、上昇相場が始まったばかりの局面ではその持続性について懐疑的であり、基調（トレンド）がはっきりしてきてから市場に参入していくため、購入価格は底値から離れています。よって、購入直後に3週も陰線が続いてしまえば、「高値づかみをしてしまったのではないか」などと不安感が頭をもたげ、慌てて売却してしまったりすることがあります。

しかし、決してあせることはありません。上昇過程の初期段階に利食いなどで小緩んだ相場は、絶好の押し目といえ、通常は近いうちに再び上昇に転じ、直近の高値を上抜いていきます。そして、1本目の陰線の高値を超えることができれば、上昇に弾みがつきます。

技術的には、4週目に、前週の陰線の寄り付き値を超えたところが買い出動のポイント、となるケースが多く見られます。

【連続線】前週（前日、前月）の実体の範囲内で寄り付くものをいいます。現状の相場の流れが継続することを示唆する足型です。

新規買いや買い増しを行なうチャンスです。

◎実　例

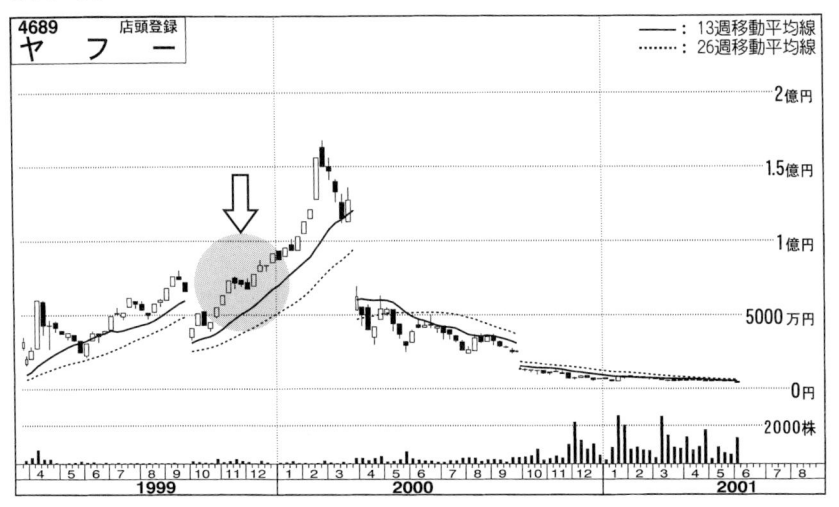

上はヤフー（4689）の週足です。1999年11月第3週から12月第2週にかけて「押え込み線」が出現。その後も相場は順調に上昇していきました。

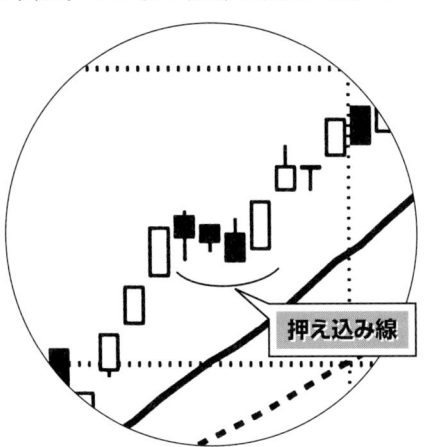

（４）上げの差し込み線

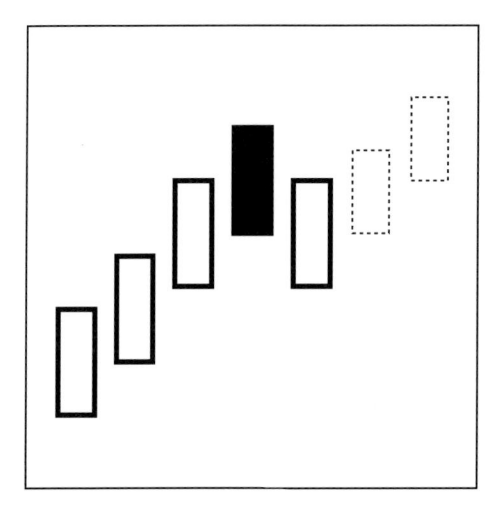

◎相場の環境と足型の特徴

　上昇相場の初期段階で、前週引け値から上放れて寄り付いたあと陰線で引け、逆に翌週は下放れて寄り付いたのち急反発して陽線を立て、前週の陰線の実体内に突き返した一連の過程。

◎買い手の行動と心理状態

　突然の陰線の出現に投資家は戸惑いますが、相場が即座に切り返すことで、安堵感が広がるとともに上昇期待感を高め、継続的に買い注文を持ち込みます。

◎状況分析と相場の暗示

　投資家を不安にさせるデマやうわさなどが出回ったために、利食いの売り注文が持ち込まれて一時的に押し込み[注]が入り、陰線が形成されたものと推測されます。

　陰線の翌週の寄り付き時点では、依然として成り行き売り注文が勝っていたために、下放れが起こりますが、その後デマやうわさなどが公式に否定されたことで、投資家は再度安心感を取り戻し、買い戻しを行なったり新規の買い注文を持ち込みます。この結果、相場の水準は再び押し上げられました。

　上昇を始めたばかりの相場では、多くの投資家は今後の上昇に対して確信を持っているわけではないため、<u>些細な悪材料で小緩んでしまうことがあります</u>。

　しかし、小緩みを経た（一部の投資家の利食い売りが出た）後は、市場の買い建て残高（ロングポジション）は軽くなっており、ひとたび上昇に転じると相場は弾みをつけます。

- 【押し込み】上昇過程の中で、大きな売り圧力が加えられ、値を下げること。

新規買いや買い増しを行なうチャンスです。いったん利食いを入れた投資家は、買い戻しを検討してもよいでしょう。

◎実　例

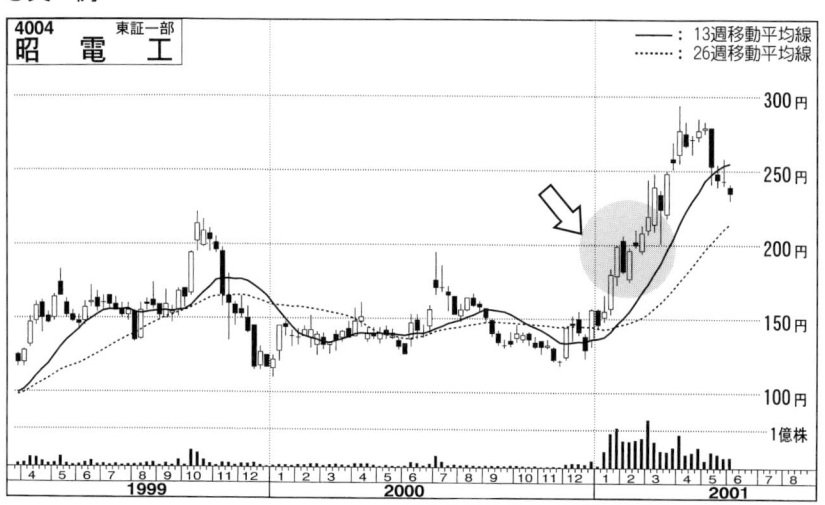

上は昭和電工（4004）の週足です。2001年2月第1週に、前週の大陽線の上位から大陰線が入ったものの、第2週には再び大陽線が立ち、「上げの差し込み線」が出現しています。その後、相場は上昇速度を上げました。

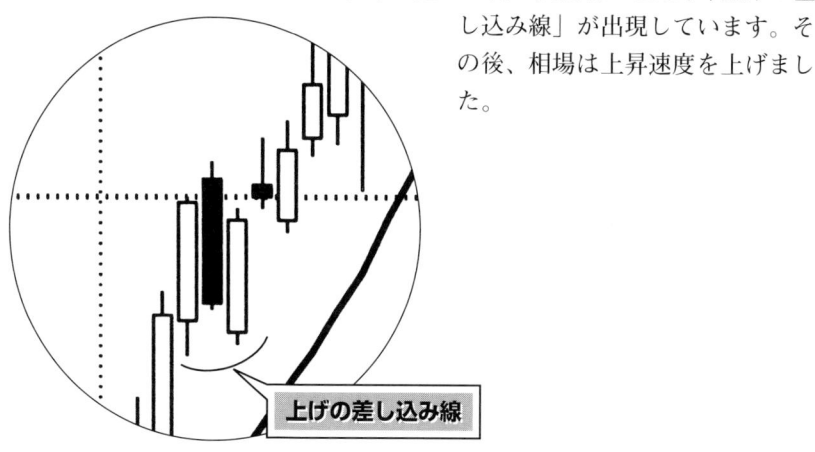

上げの差し込み線

（5）上げ三法（あげさんぽう）

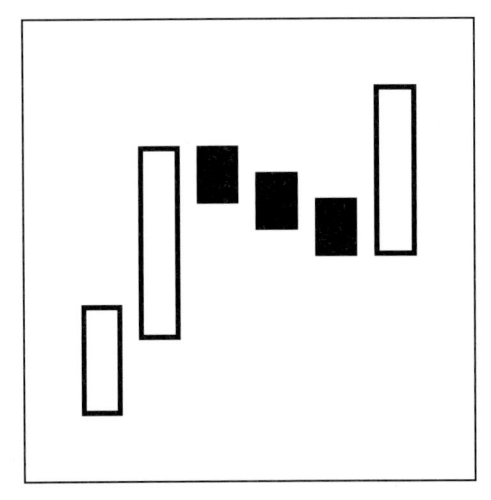

◎相場の環境と足型の特徴

　上昇相場の初期段階で、大陽線に続いて陰線が3本連続して出現した翌週、再度大陽線を立て一挙に3本の陰線を上抜いた一連の過程[注]。

◎買い手の行動と心理状態

　大陽線が出現したにもかかわらず、以降陰線が連続し、失望の色は隠せません。よって、一部の投資家は利食い売りなどを持ち込みます。そんな折、再び大陽線が立つことで投資家には自信がみなぎり、積極的に買い注文を入れ始めます。

◎状況分析と相場の暗示

　緩やかに上昇を始めていた相場に、投資家が待ちに待っていた強力な支援材料が現われ、1本目の大陽線が立ったものと考えられます。

　新規の買い注文を持ち込む投資家が多い一方で、あらかじめ買い仕込みなどを行なっていた一部の投資家は相場の水準が大幅に押し上げられたことで、すかさず利食い売りなどを実行します。こうして1本目の陰線が形成されますが、その後も上値が重いようであれば相場は調整し緩やかな下落をみます。

　さて、ここでの注目点は、3本目の陰線の引け値（終値）が最初の大陽線の安値を下回っていない（下回ってもわずかである）ところです。つまり、相場を強く支援する材料が出た水準（大陽線の安値）までの下落がみられないということは、多くの投資家がその材料を相場の上昇を促すに値（あたい）するものとして認識しており、押し目での強い買い圧力が存在することを示しているといえます。

　利食い売り一巡後、相場の需給バランスは大きく需要超過に傾き、次第に

【注】ただし、3本目の陰線の引け値は最初の大陽線の安値を下回らない（下回ってもわずかである）こと、そして2番目の大陽線の引け値は最初の陰線の寄り付き値を上回ることが条件です。

高値追いなどが入ると再び大幅な上昇がもたらされます。このとき、2本目の大陽線が立ち上がります。そして、最初の陰線の寄り付き値を上抜けたことは、高値圏での売り注文をこなしてもなお買い圧力が衰えていないことを意味しています。

2本目の大陽線を確認できれば、新規買いや買い増しを行なうチャンスの到来です。

◎実　例

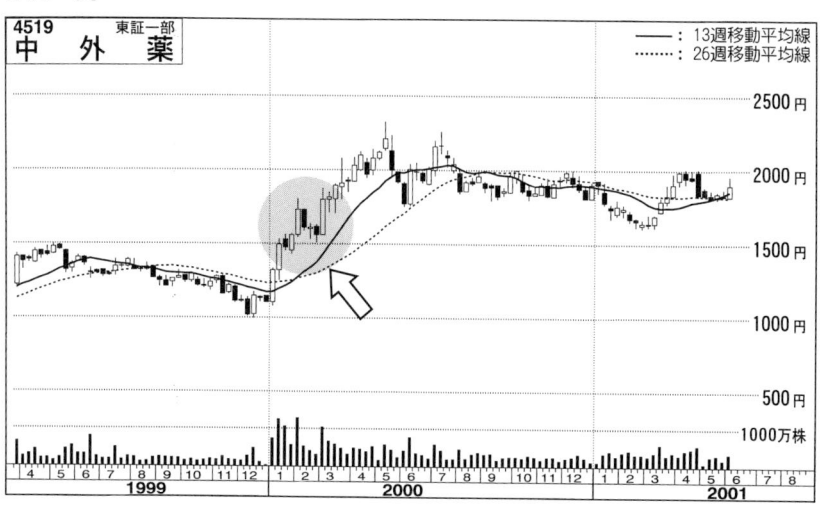

上は中外製薬（4519）の週足です。2000年2月の第1週に大陽線を立てたのち、小陰線が3本連続して入ったものの、3月第1週には再び大陽線を立てることで「上げ三法」を形成。相場は続伸していきました。

（6）カブセの上抜け

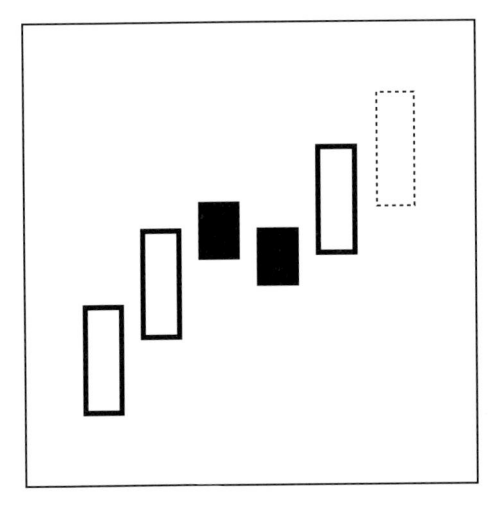

◎相場の環境と足型の特徴

「カブセ」とは、比較的長い陽線の翌週、上放れて寄り付いたものの反落し、陽線の実体に食い込んで引けた陰線を指します。「カブセの上抜け」は、上昇相場の初期に出現した「カブセ」を、のちに陽線が上抜く一連の過程です。

◎買い手の行動と心理状態

「カブセ」の出現後、経過時間の長さに比例して投資家の失望感が大きくなりますが、のちに直近高値が更新されることで投資家は自信を取り戻し、買い注文を入れていきます。

◎状況分析と相場の暗示

　上昇相場の初期段階で利食い売りなどが入ることにより、相場が一時的に反落ししばらくもみ合いましたが、次第に押し目での買い圧力が勝り、反発していった状態です。

　ただし、「カブセ」は上昇相場が長く続いたあと高値圏で出現すると相場反落の前兆となるため、出現位置に注意が必要です。

　しかし、上昇が始まったばかりの局面では、市場の買い建て残高が相対的に少ないことに加え、押し目で買い注文を入れる投資家も多く、特段の悪材料が出現しない限り大きく値崩れを起こすことはありません。

　直近高値の更新は投資家の上昇期待感を煽り、その後も継続して買い注文を集めます。

> すでに保有している投資家にとって、買い増しを行なうチャンスです。

第4章◆「ローソク足」チャートの複合線はこう読む

02 上昇相場の幼少期に現われる足型

◎実　例

上はナイス（8089）の週足です。2000年3月第2週の大陽線の翌週、上位より大陰線が入り「カブセ」が発生していますが、4月第1週には「カブセを上抜け」し、相場の上昇に弾みがついています。

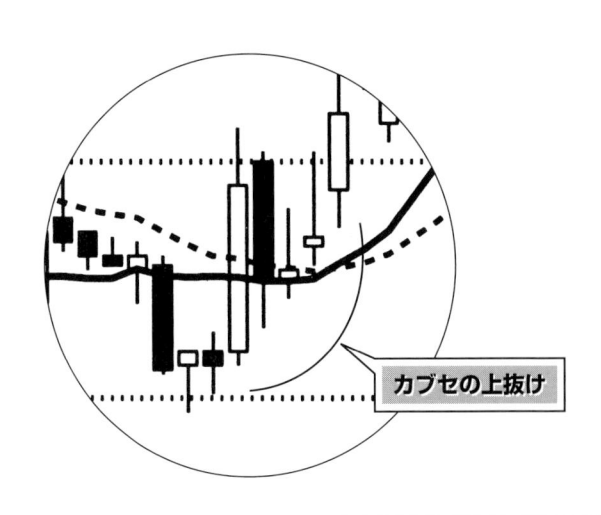

カブセの上抜け

（7）上伸途上の連続タスキ

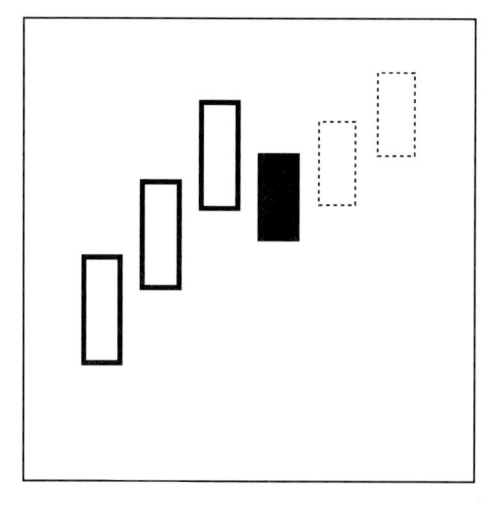

◎相場の環境と足型の特徴

「タスキ」とは、上昇相場であれば陽線に続いてその実体内で寄り付き、陰線を形成するもの[注]。上昇相場で連続陽線に「タスキ」をかけたものが「上伸途上の連続タスキ」。

◎買い手の行動と心理状態

「タスキ」がかかった際の小緩みは、一部の投資家からの利食い売りによるものです。その後下落が止まれば、投資家の上昇期待感は維持されます。

◎状況分析と相場の暗示

「タスキ」は一般的に、それまでの相場の流れを加速させます。特に上昇相場の初期段階では、需給バランスでみれば需要超過の状態といえますが、大幅高を期待している投資家の数はそれほど多くなく、適宜利食いの売り注文が入ります。

押し目を拾って跳ねたら売るという買い回転が効いていることで、市場には比較的持ち値（購入価格）のよい投資家が多く存在しており、相場の値動きは安定しています。

一方、株式を買いそびれてしまった投資家は、押し目買いを狙っていますが、通常はターゲットとしている水準までは緩みません。やがてそうした投資家が上値を追って購入するようになると、相場は一段と高く押し上げられます。

「タスキ」出現の翌週は、すでに保有している投資家にとって買い増しを行なうチャンスです。

【タスキ】下落相場では、陰線に続いてその実体内で寄り付き、陽線を形成するものをいいます。

◎実　例

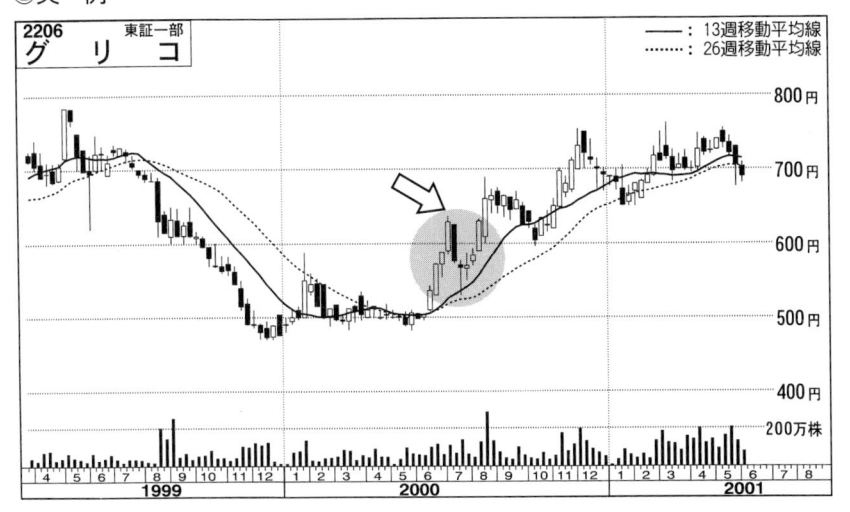

2206　東証一部　グリコ

上は江崎グリコ（2206）の週足です。2000年7月第2週に連続陽線にタスキがかかり、「上伸途上の連続タスキ」が発生しました。相場はその後も数週間もみ合いを見せますが、最終的には大きな上昇トレンドが形成されています。

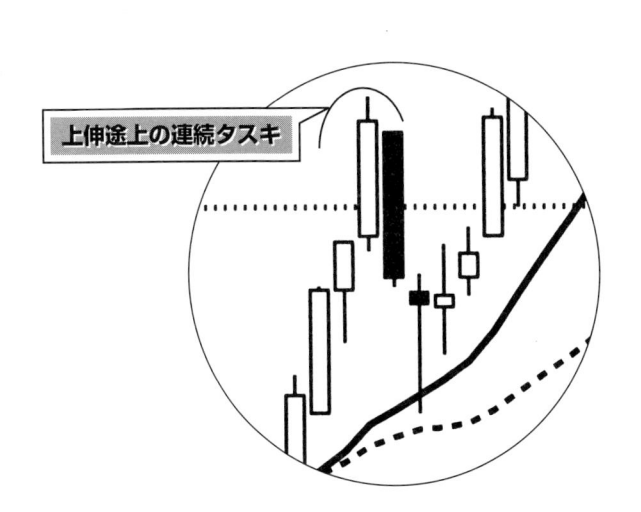

上伸途上の連続タスキ

（8）上放れタスキ
<small>うわばな</small>

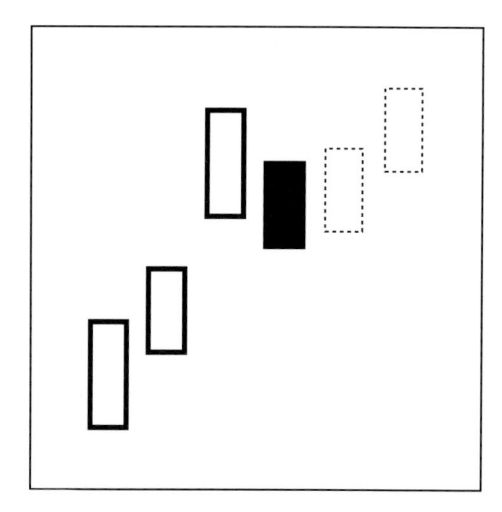

◎相場の環境と足型の特徴

　上昇相場の初期にマドを開けて上放れた陽線に陰線が「タスキ」をかけたもの。

◎買い手の行動と心理状態

　ギャップアップ後の陽線に投資家の上昇期待は膨らみますが、翌週の小緩みがその期待感をやや冷やします。しかし、下落が小幅にとどまることで、投資家は安堵します。

◎状況分析と相場の暗示

　市場参加者に好感される材料が出現したことで、マドを開けて陽線が立ちました。

　翌週の「タスキ」は、一部の投資家からすかさず持ち込まれた利食い売りなどによるものですが、利食い売りが一巡すると相場はジリジリと上昇していきます。多くの投資家は押し目を待っており、株価が材料を好感してマドを開けた水準まで緩めば、積極的に買い注文を入れ始めるからです。

　このように上昇局面の初期では、「タスキ」の出現で相場の基調（トレンド）はより強化されていくといえます。

「タスキ」出現の翌週は、すでに保有している投資家にとって、買い増しを行なうチャンスです。

◎実　例

上はヤクルト本社（2267）の週足です。2000年5月に「上放れタスキ」を発生させ、相場は一段高を見ています。

相場はその後、9月にかけて反落局面入りしますが、最終的には大きな上昇トレンドが形成されています。

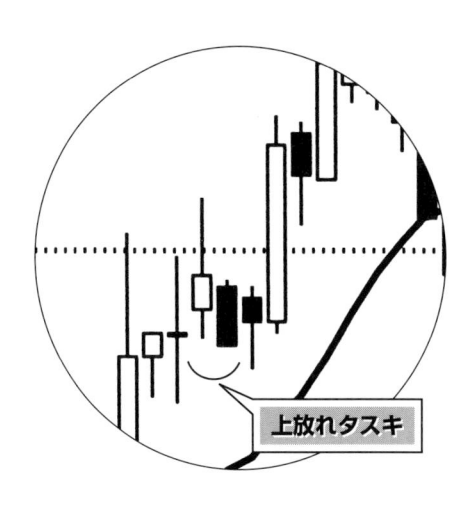

（9）上伸途上のクロス

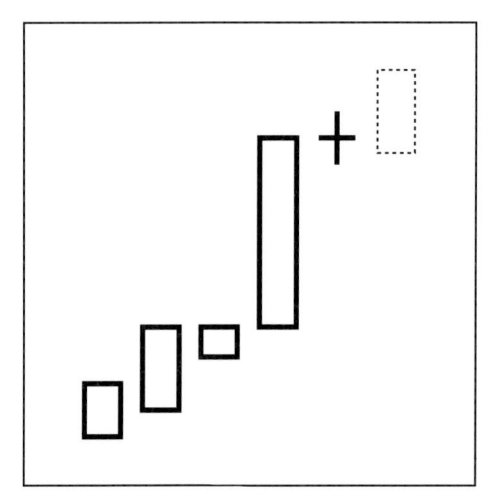

◎相場の環境と足型の特徴

上昇相場の初期段階で、大陽線に続いて「クロス（十字線）」が出現したもの[注]。

◎買い手の行動と心理状態

大陽線の出現で投資家は相場の上昇に自信を深めます。続いて、さらなる上昇を期待して新規に買いを入れる投資家と、利食い売りを持ち込む投資家の思惑が交錯し、クロスが発生しています。

◎状況分析と相場の暗示

相場が突如、期待以上に大幅な上昇をみせると、一時的に利食いなどの売り注文が増加します。

一方、これまで勝負を見守っていただけ（その銘柄を保有していなかった）の投資家は、さらなる上昇の波には乗り遅れまいと、買い注文を入れてきます。

このような思惑のもと売買が交錯し、需給が均衡したことでクロスが形成されたと推測されます。

こうした場合、利食い売りなどが一巡してもなお買い勢力が衰えをみせなければ、クロスの翌週も再度陽線が立つことになります。そして、この陽線に勇気づけられた投資家たちが買い注文を持ち込むことで、相場は一段と上昇していきます。

「クロス」に続いて陽線が立てば、買い増しを行なうチャンスです。

【注】「クロス」の代わりに「コマ」でもかまいません。

02 上昇相場の幼少期に現われる足型

◎実　例

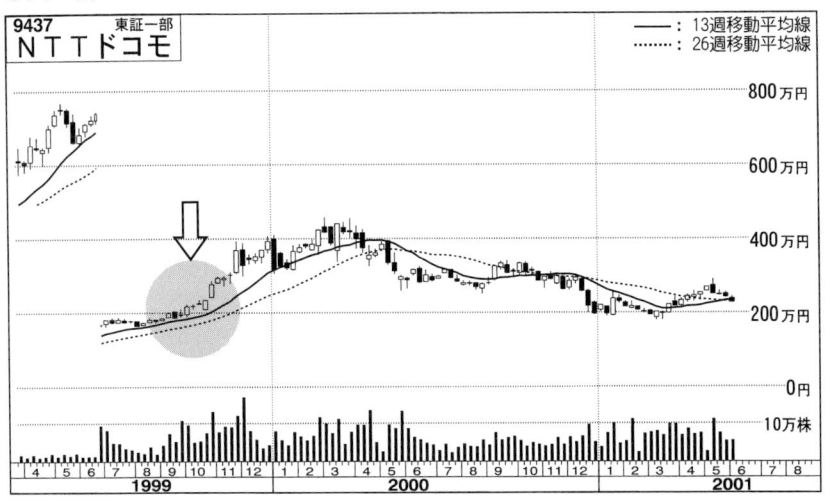

上はNTTドコモ（9437）の週足です。1999年10月第1週の陽線に続き翌週クロスが出現し、「上伸途上のクロス」となりました。相場はその後、大幅な上昇を演じています。

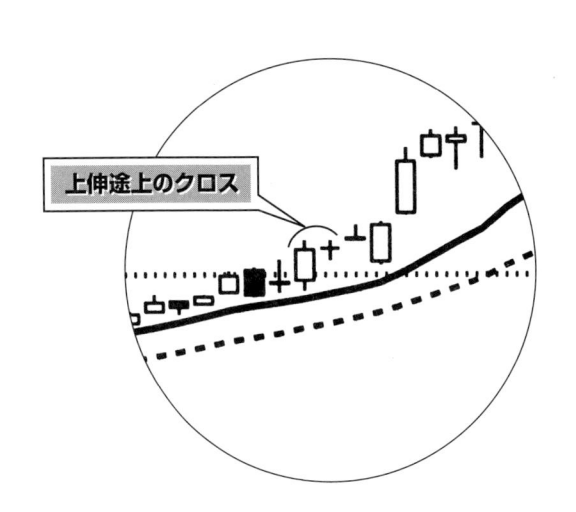

上伸途上のクロス

(10) 上げの三つ星

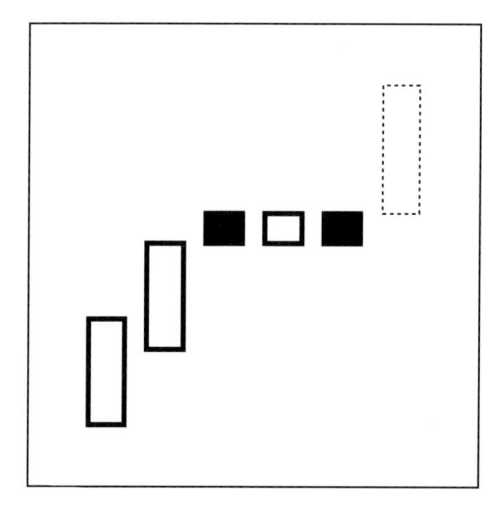

◎相場の環境と足型の特徴

「三つ星」とは、相場の流れが一時的に止まり、小陽線・小陰線などが3本連続するもの。相場の上昇途上で出現した場合が「上げの三つ星」です。

◎買い手の行動と心理状態

上昇相場が一服し、投資家の一段高期待はやや後退。一部の投資家からは利食い売りなどが持ち込まれます。

◎状況分析と相場の暗示

投資家の買い圧力は強い状態ですが、特段の材料がない場合、今後の相場の急騰や大幅高も予想しがたいことから、適宜利食いなどの売り注文が持ち込まれています。

また、投機筋などが売り仕掛けを行なうための前哨戦として売り注文をかぶせていることもあり、上昇相場の初期段階では想像以上に上値が重く[注]感じられることがあります。

しかしそのような状況の中、相場の支援材料が出現すれば、投資家はあらためて買い注文を持ち込むのに加え、投機筋などは空売りの買い戻しを実行せざるを得ません。よって、相場はもみ合い圏を上放れ、上昇に弾みをつけていきます。

> もみ合い圏でつけた高値を更新して引けた場合は、買い増しなどを行なうチャンスです。

【上値が重い】基調としては上昇傾向なのに、一定以上に株価が上がっていかない状況をいいます。

02 上昇相場の幼少期に現われる足型

◎実　例

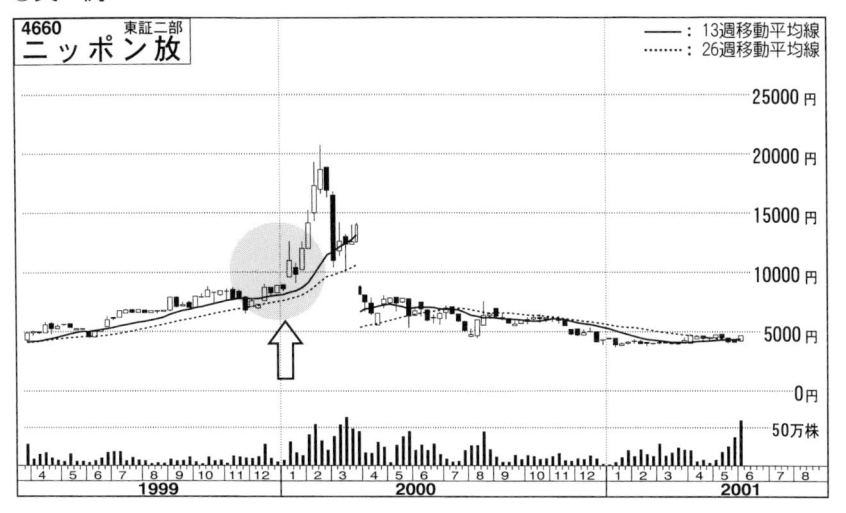

上はニッポン放送（4660）の週足です。1999年12月から2000年1月にかけて「上げの三つ星」が出現しました。もみ合い圏を上放れののち、相場は急騰しています。

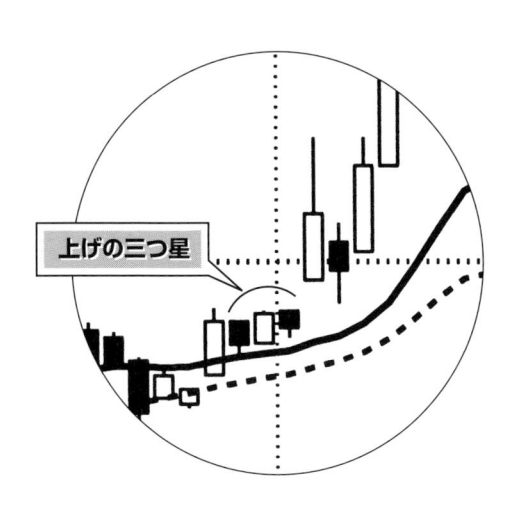

03 上昇相場の成熟期に現われる足型

> 相場は悲観の中に生まれ、懐疑の中に育つ。
> 楽観の中で成熟し、幸福感の中で消えてゆく

（1）並び赤

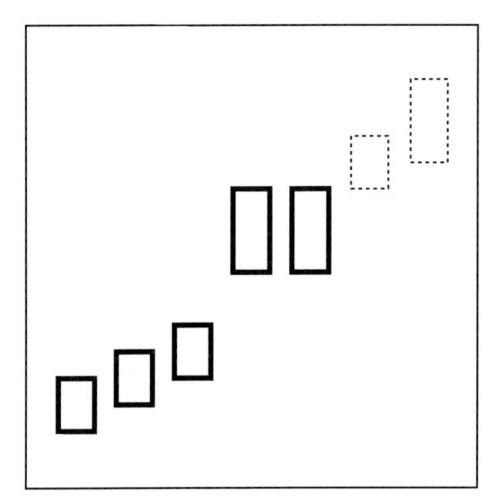

◎相場の環境と足型の特徴

相場がジリ高の展開を続ける局面で、突如マドを開けて同規模の陽線が2週連続して立ったもの。

◎買い手の行動と心理状態

マド開け上伸後の陽線2連続は、投資家に強い上昇期待感を抱かせます。新規の買い注文がこれまでにもまして持ち込まれ始めます。

◎状況分析と相場の暗示

安値圏を放れ値を上げている局面で、相場にとっての支援材料が出現し一段高となりました。寄り付きでの成り行き買い注文が殺到するなど相場は活況を帯びています。

マド開け後の2本目の陽線の寄り付きは、利食いなどが入ったことで前週の引け値（終値）より下位になったものの、引けには前週とほぼ同レベルまで値を戻すことができた点は注目に値します。

これは、押し目での買い圧力が非常に強いことを示しています。

投資家のあいだに相場の先行きについて楽観的な見方が広がるにつれ、相場への新規参入者は増加していきます。また、次第に単位時間当りの価格上昇幅も大きくなっていきます。

なお、「並び赤」翌週の上寄りは、大幅上昇相場の前兆となります。

新規買いや買い増しを行なうチャンスです。

◎実　例

上は三菱レイヨン（3404）の週足です。2000年4月の第2週・第3週に同規模の陽線が2本並び「並び赤」が出現、相場は上昇を続けました。

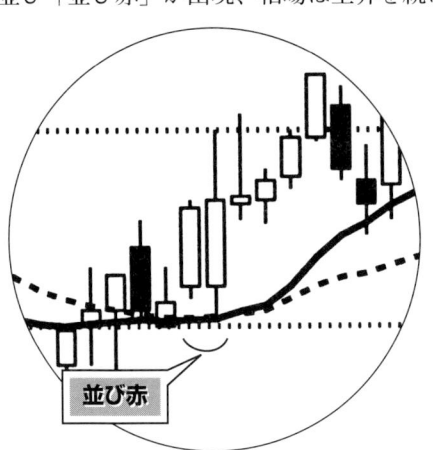

03 上昇相場の成熟期に現われる足型

（２）上放れ陰線二本連続

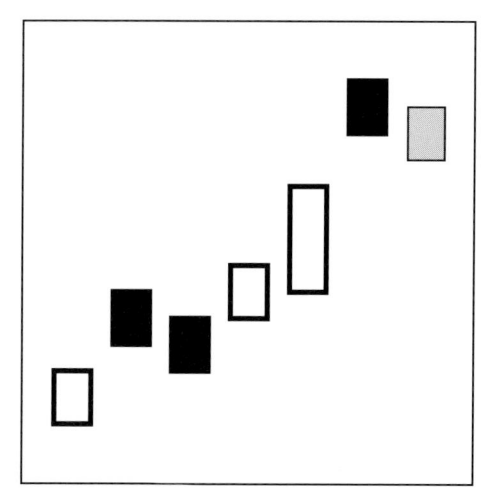

◎相場の環境と足型の特徴
　上昇相場の中で、マドを開けて上放れた陰線が、数週間で２回発生したもの。

◎買い手の行動と心理状態
　マド開け上伸後の陰線に、投資家は失望してしまいます。しかし、その後相場が反発していく姿を見て、再度上昇期待感を抱き買い注文を持ち込みます。そして数週間後、再び上放れ陰線の出現です。一部の投資家には高値警戒感も芽生え始めます。

◎状況分析と相場の暗示
　一部の投資家の利食い売りなどによって生じた初回の上放れ陰線の際には、絶好の押し目とばかり新規に買い注文を持ち込む投資家も多く、相場は次第に上昇に転じます。この反発力をみて多くの投資家がさらに買い注文を入れることで、相場は一段高をみます。
　しかしながら、２回目のマド開け後も相場は陰線引けとなってしまったことで、投資家の多くは失望し、高値警戒感を抱き始めます。
　一方で、依然として強気な相場見通しを持つ投資家は、利食い売りなどに対し買い向かいますが、需給バランスは次第に供給超過に傾いていくため、よほどの好材料が支援しない限り、上昇は一服してしまいます。

１回目の上放れ陰線の翌週は、押し目買いのチャンス。
２回目の上放れ陰線が出現したら、すべて手仕舞うことが望ましいとされています。

◎実　例

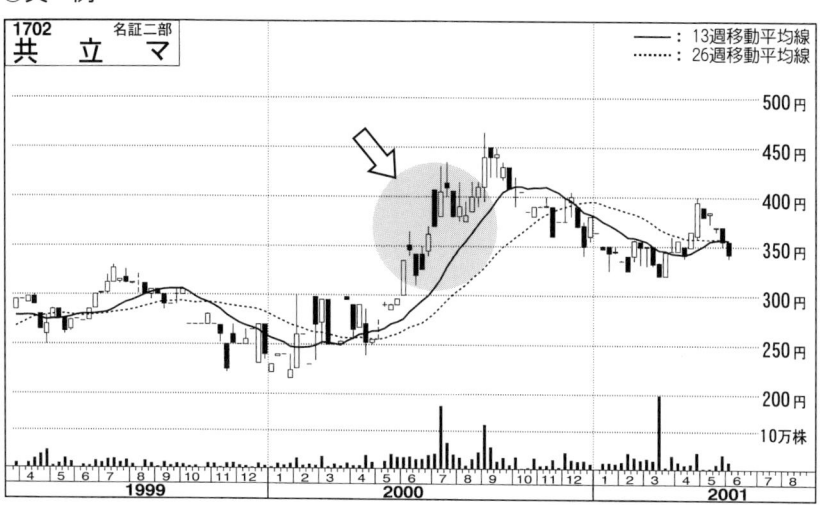

　上は共立マテリアル（1702）の週足です。2000年6月の第2週・第3週で1回目の上放れ連続陰線を形成、相場は続伸しました。2回目の上放れ連続陰線は7月の第3週・第4週で形成されています。1回目とあわせて「上放れ陰線二本連続」の完成です。

　2回目の陰線発生後に数週間もみ合い、9月上旬には高値が更新されますが、結局そこが天井となってしまいました。

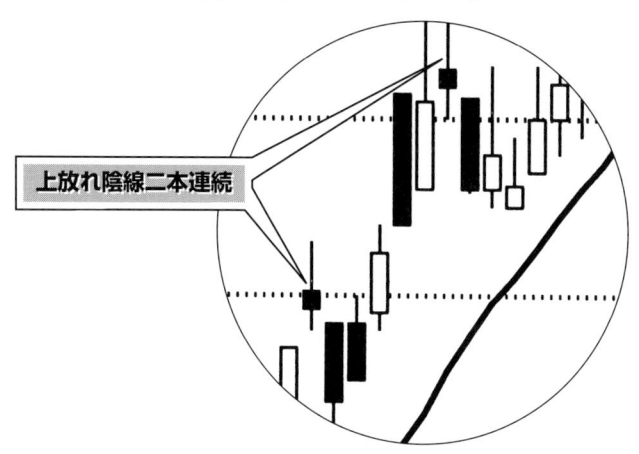

（3）上位の連続大陽線

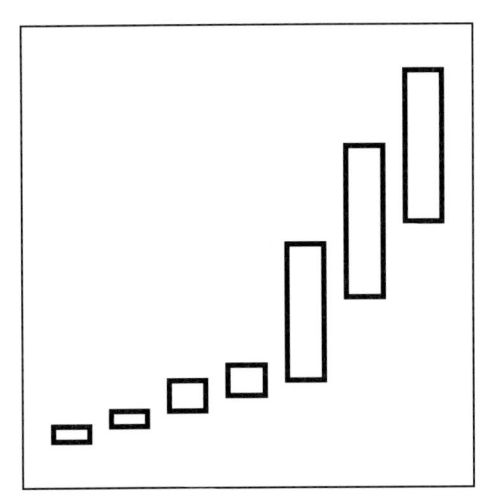

◎相場の環境と足型の特徴

　相当の期間上昇を続けた相場が、連続して大陽線を立てるようになったもの。

◎買い手の行動と心理状態

　投資家は大陽線が連続して出現したことを純粋に歓迎、強い先高期待感を抱くとともに積極的に買い注文を持ち込みます。

◎状況分析と相場の暗示

　相場は、買い注文が殺到し非常に活況を帯びた状態です。

　多くの投資家は、相場の先行きについて極めて楽観的になっており、どこで利食うかではなく、どこで買い増しを行なおうかなどと考えています。

　株価の急激な上昇に伴って、投資家の買い建て残高（ロングポジション）も急速に増加してきています。

　相場は、やや加熱気味の状態になってきているといえます。

　よって、大陽線が5本も連続するようであれば、反落に注意すべきです。

> **3本目の大陽線から徐々に利食い売りを入れていく（腹八分目）のが定石とされています。**

◎実　例

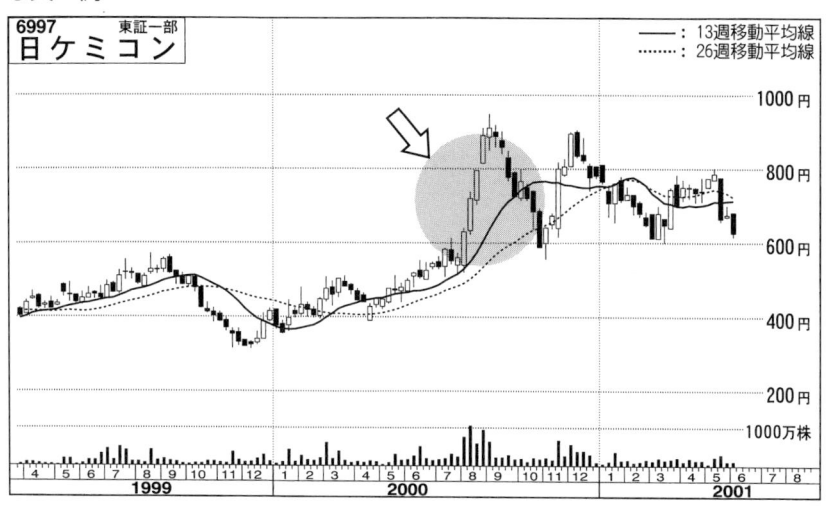

 上は日本ケミコン（6997）の週足です。1999年12月から続いた緩やかな上昇相場は2000年8月に入ると急上昇を見せました。第1週から4週連続で大陽線が立ち「上位の連続大陽線」が出現しています。
 しかしながら、上昇もそれまでで、いったん売り注文に押されると、相場は大きく下落していきました。

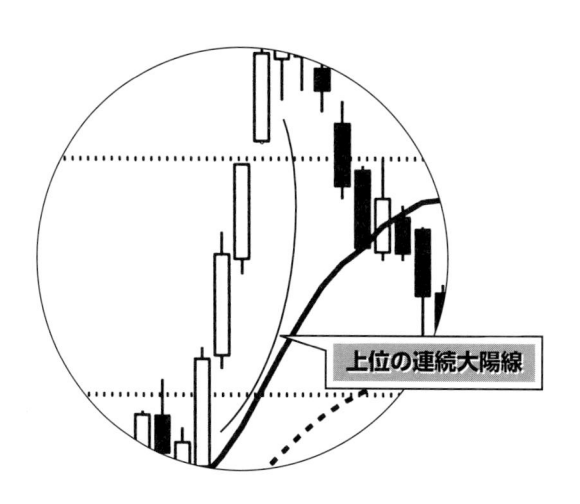

（4） 波高い線

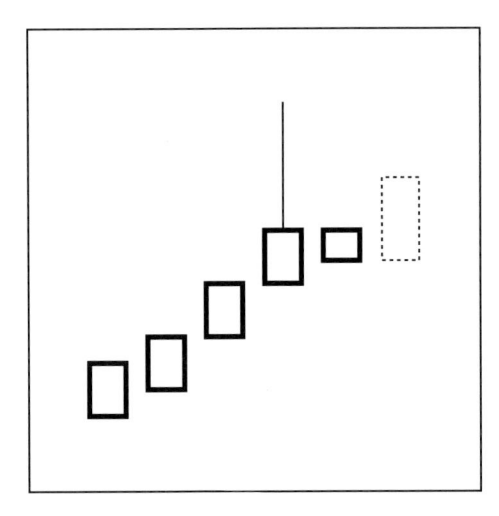

◎相場の環境と足型の特徴

　上昇相場の途中、「上ヒゲの長いコマ」が出現し、さらにそのコマが翌週の実体をはらんだもの。

◎買い手の行動と心理状態

　上昇相場が続く中、投資家には楽観的な相場見通しが広がっています。「上ヒゲの長いコマ」については、どちらかというとヒゲの長さ（高値から大きく値を下げて引けたこと）よりも高値そのものに注目が集まりがちです。

◎状況分析と相場の暗示

　高値付近で引けていたならば大陽線となっていたものが、「上ヒゲの長いコマ」に終わったということは、上昇相場の中で突如、デマ・うわさなどを含めた悪材料がもたらされたことにより、投資家がいっせいに利食い売りなどを持ち込み、相場が一挙に値崩れを起こしたものと推測されます。

　そして、翌週の小さな実体は、投資家が悪材料の真相を確かめるために取引を手控え、様子見姿勢に転じたことで値幅が小さくなったものと考えられます。

　のちに、悪材料がまったくのデマ・うわさなどであることが判明すると、投資家は売却してしまった株式を買い戻したり新規に買い注文を入れるため、相場は急反騰をみせることがあります。特に、上ヒゲの高値を抜けることができれば、一層力強い上昇が期待できます。

　ただし、注意しておきたいことは、のちに否定されたとはいえ、相場にはすでにデマ・うわさなどの悪材料に即座に反応し値崩れが生じやすいほどの危うさも存在してきているという側面があるということです。

ヒゲを上抜いた時点が買い増しのチャンスといえますが、相場はすでに加熱気味であるということは心に留めてください。

◎実　例

上は池上通信機（6771）の週足です。2000年2月第3週に大きな上影陽線が出現、続く第4週の小さな上影陽線が翌週の実体が極めて小さく上ヒゲの長い陽のコマをはらみ、「波高い線」を形成しました。

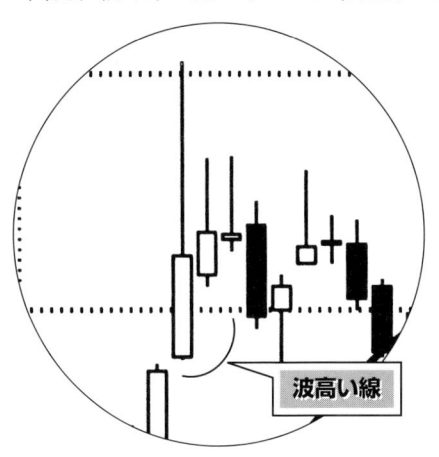

このケースでは、直後に大陰線が入り上昇は一服、その後相場は下落に転じました。

波高い線

04 天井打ちを暗示する足型

> 相場は悲観の中に生まれ、懐疑の中に育つ。
> 楽観の中で成熟し、**幸福感の中で消えてゆく**

（1）三空踏み上げ

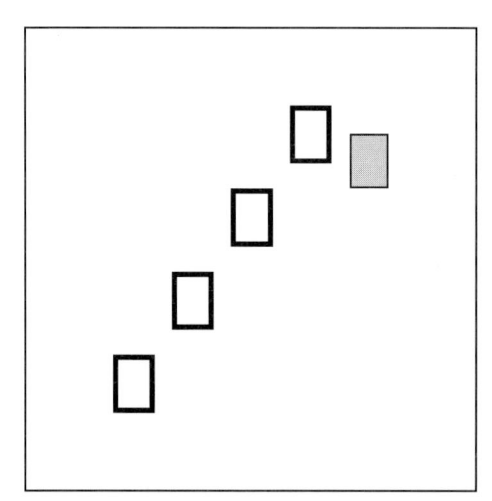

◎相場の環境と足型の特徴

　上昇相場の途中で、投資家の予想をはるかに超える好材料が出たことなどで、陽線が4本連続し、かつ各陽線の間にマドが開いたもの。

◎買い手の行動と心理状態

　市場は強気一色。投資家は千載一遇のチャンスとばかりに、寄り付きで成り行き買い注文を殺到させています。すでに利食ってしまった投資家はあらためて買い直すなど、万人が相場の先高を信じ決して疑わない状態です。

◎状況分析と相場の暗示

　市場は活気に溢れ、買い注文が殺到しています。
　ほぼ一本調子の上げ相場ですから、メディアなどにも大々的に取り上げられ、「いま買わなければ二度とチャンスは巡ってこない」「この相場に入らずして、投資家にあらず」などと一種の脅迫観念に駆られ、投資家はここぞとばかりに買い注文を持ち込みます。
　また、相場の売り崩しを狙って大量の空売りなどを仕掛けていた投機筋は、予想外の相場支援材料が出たことなどから先の見えない上昇相場になると、逆日歩[注]の発生や含み損の拡大に耐えられなくなり、買い戻しを余儀なくされます。こうした投機筋からの大量の買い戻しも相まって、「三空踏み上げ」が生じたものと推測できます。

【逆日歩】信用取引で、売り残高が買い（融資）残高を上回り、品不足の状態になったときに、売り方が買い方に支払う品借り料のこと。

よって、この足型形成の最終局面では、市場の買い建て残高（ロングポジション）は大規模に積み上がっており、加えて相場は短期間で急激に上昇していることからファンダメンタルズを大幅に上方乖離しています。これは、きっかけ次第で値崩れを起こしやすい状態です。

技術的には、2つ目のマドが開いたら買いは手控え、3つ目のマドを確認してから利食いを実行することが定石とされています。

◎実 例

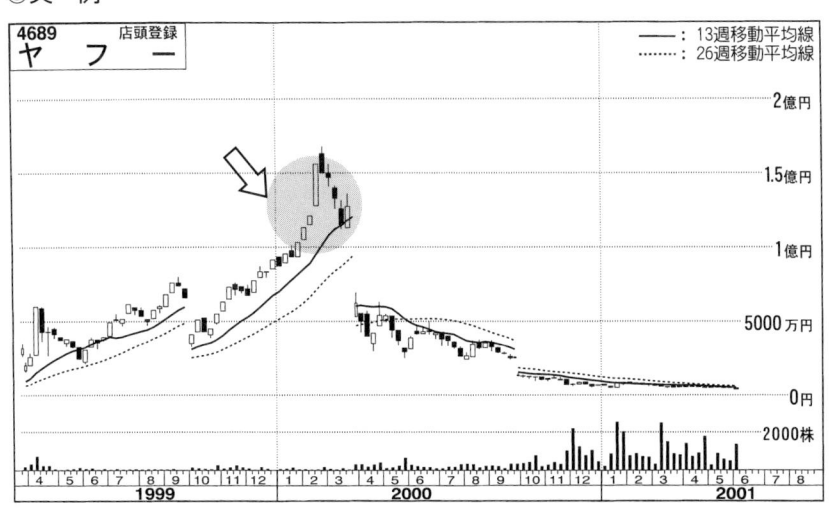

上はヤフー（4689）の週足です。しばらく続く上昇相場の途中、2000年2月に「三空踏み上げ」が発生[注]。最後に大陽線を立てたものの、相場は下落に転じ、天井が確認されました。

【注】週足では純粋な「三空」が発生することはまれで、ローソクの実体と実体の間のマドが3つ連続してできたケースを広義の「三空」と見なすことができます。

（２）新値八手利食い線

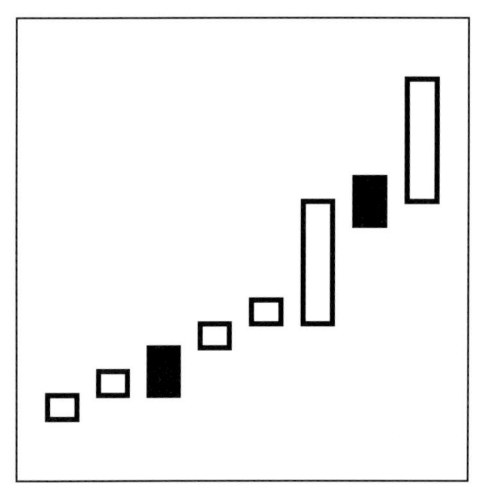

◎相場の環境と足型の特徴
　上昇相場が続く中、直近高値が8週から10週連続で更新されたもの。

◎買い手の行動と心理状態
　市場参加者は相場の大幅高を歓迎するとともに大口の買い注文を継続して持ち込んでいます。投資家の上昇期待は一段と高まり、その銘柄をどれだけ保有しているかなどが話題にのぼります。

◎状況分析と相場の暗示
　時に陰線をはさみながらも、8週から10週ものあいだ連続して高値が更新されるケースは極めて稀と思われがちですが、過去の推移を調べてみると、株式だけでなく各種の相場商品に関しても、意外と多く存在することに驚かされます。
　こうした状況下では、株価などが上昇していくにつれ、市場参加者の数と市場の買い建て残高（ロングポジション）は急速度で増加していきます。
　投資家は、「買えば上がる。上がるから買う」という順スパイラル的な環境の中で含み益の大きさに酔い、永遠にこの宴が続くことを信じて疑いません。しかし、冷静に考えてみれば2、3か月も新高値[注]を更新してきた相場は、いくら支援材料が揃っているとはいえ、ファンダメンタルズからは大きく上方乖離しており、その上昇幅と速度が永遠に維持されるはずがありません。
　こうした場合、単位時間当りの収益率（価格上昇幅）が鈍り始めると、次第に利食い売りが持ち込まれるようになります。当初は持ち値（購入価格）のよい投資家から始まるため、相場の下押しは限定的ですが、徐々に売り圧力が増してくることで相場は大きく下げるようになります。やがて含み益が

【新高値】東京証券取引所の発表ベースでは、3月末までは昨年来高値を新高値とし、4月以降は年初来の高値を新高値としています。

含み損に転じてしまった投資家からの投げ売りなどが入り始めると、相場は一挙に下げ足を速め、場合によっては大暴落につながります。

含み益はあくまで含みです。段階的な利固めが望まれます。

◎実　例

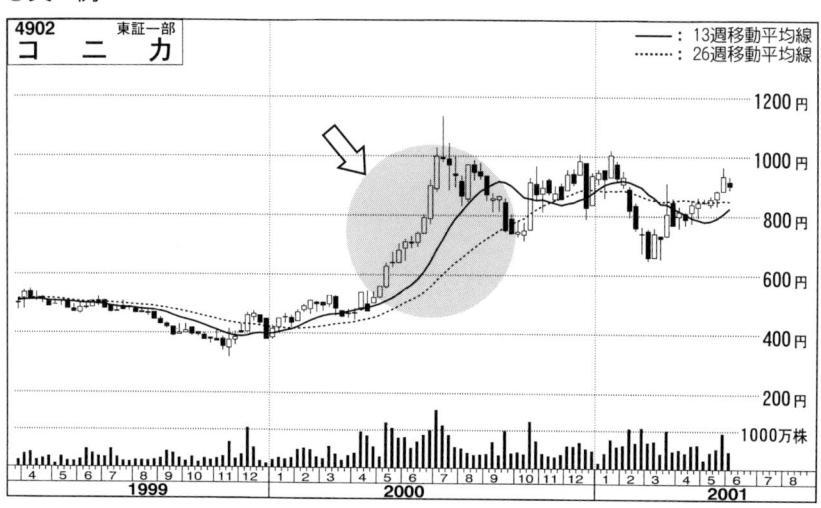

上はコニカ（4902）の週足です。2000年5月の第1週からもみ合い相場を上抜けし、力強い上昇を見せました。7月第2週にかけて11週連続で高値が更新されますが、これが「新値八手利食い線」となりました。結局、7月第2週の高値を天井に相場は反落しています。

（3）三手放れ寄せ線

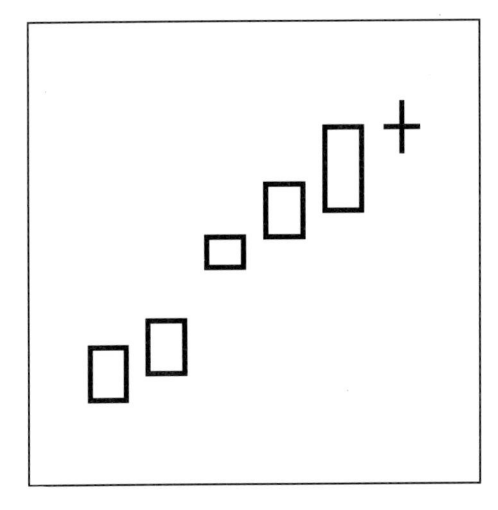

◎相場の環境と足型の特徴

しばらく上昇相場が続く中、上方にマド開けが生じ、その後も連日高値を更新する途中で「クロス（十字線）」を出現させたもの。

◎買い手の行動と心理状態

上昇過程でのマド開け・上放れは投資家に強い上昇期待感をもたらします。その後も買い注文が継続して持ち込まれ、高値更新が続きます。

◎状況分析と相場の暗示

投資家に好感される支援材料が出現し、相場は一段高となりました。積極的に買い注文が持ち込まれることで、直近高値は週を追うごとに更新され、まさに天井知らずといった状態です。

さて、そこで出現したクロスですが、これは重要な意味を持ちます。一部の投資家は一段の上昇期待に沸いており、新規の買い注文などを持ち込んでいますが、相場は上昇をみせていないことから、裏では同規模の利食い売りなどが出ているものと推測されます。つまり、高値圏で需給がバランスしてしまった状態です。

これは、結果として市場に持ち値の悪い（高値をつかんでしまった）買い建て玉を増加させることになり、ひとたび相場が下落に転じると、含み損を抱え込む投資家が増えていくことを意味します。

上放れ後の連騰で相場の絶対水準は相当押し上げられており、反落に対する備えが必要です。

「腹八分目」を心掛けてください。「クロス」が確認されれば、いったん利食い時と考えてもよいでしょう。

◎実　例

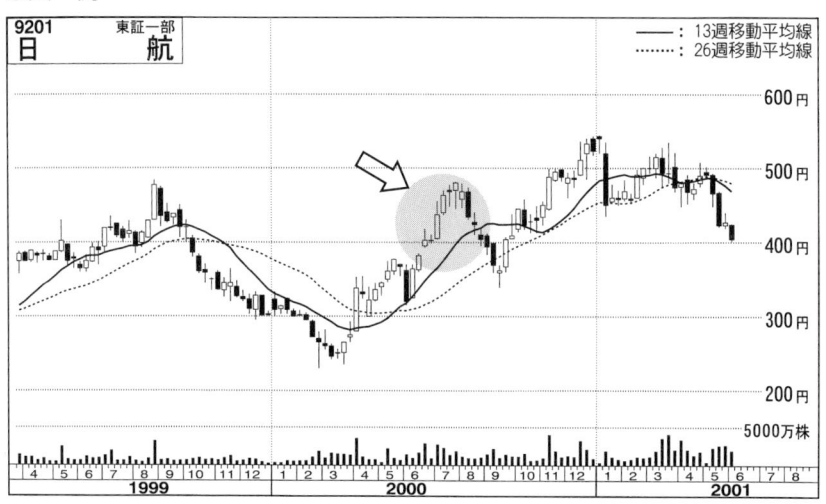

上は日本航空（9201）の週足です。2000年6月第4週に上放れて陽のコマが出現、相場は7月の第4週まで続伸しますが、その前週にはクロスが出現し、「三手放れ寄せ線」となりました。

その後、相場は反落局面を迎えています。

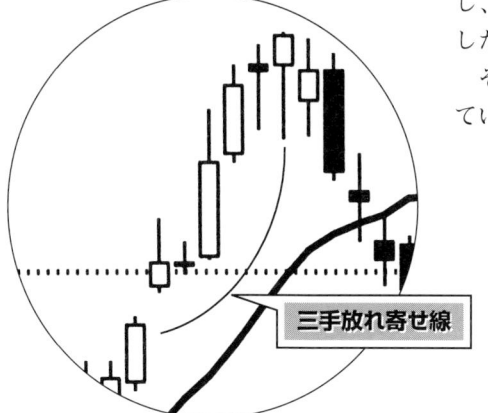

04 天井打ちを暗示する足型

（4）行き詰まり線

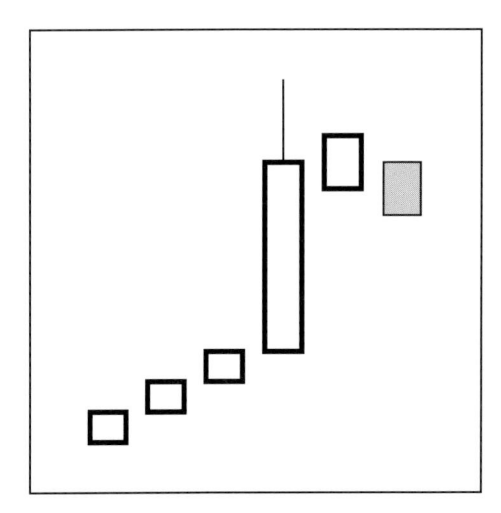

◎相場の環境と足型の特徴
　しばらく続いた上昇相場の途中で大陽線を立て、その引け値より下位で翌週寄り付き、陽線引けこそしたものの高値更新には至らなかったもの。

◎買い手の行動と心理状態
　大陽線に続いて翌週も陽線が立ち、投資家はさらなる上昇相場を期待し、買い注文を入れています。しかし、高値が更新されなかった点から、一部の投資家に失望感が芽生え始めます。

◎状況分析と相場の暗示
　大陽線を立ち上げ大幅な上昇をみせた相場に、投資家たちは沸いています。翌週高値が更新されなかったことは、一部の投資家の失望感を誘いますが、この足型でさらに重要な点は、大陽線となった週の引け値（終値）を翌週の寄り付き値が下回ってしまっているところです。
　大陽線は、少なくとも相場を押し上げるに値する材料が出現したことで、大口の買い注文などが持ち込まれて発生したものと考えられますが、翌週の寄り付き時点では、逆に成り行きでの売り注文のほうが勝っていたと推測されます。その後、利食い売りが一巡したことで押し目買いなどから陽線となって引けますが、潜在的な売り圧力の高まりを見逃してはなりません。
　下位での寄り付きに加え、高値更新の失敗は、買い勢力の衰えを端的に表わしています。「行き詰まり線」の翌週に陰線引けとなれば、相場は反落へと向かいます。

> 買い建て玉の利食いが望まれる局面です。

◎実 例

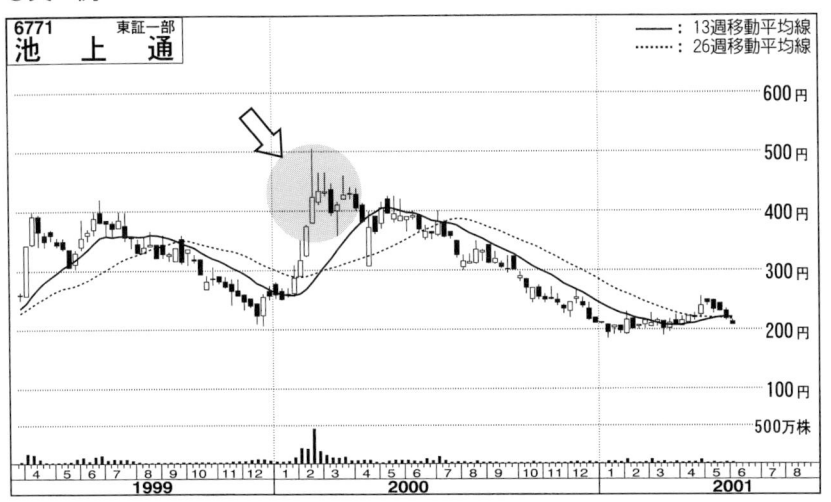

上は池上通信機（6771）の週足です。2000年2月第3週の上影の長い陽線の高値を翌週の陽線が更新することができなかったことで「行き詰まり線」となり、相場は天井を打っています。さらに翌週の上ヒゲの長い陽のコマまで含めると、112ページに説明したように、「波高い線」の足型にもなっています。

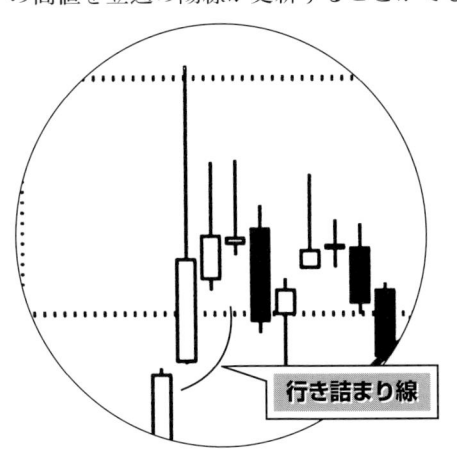

行き詰まり線

（5）三羽ガラス

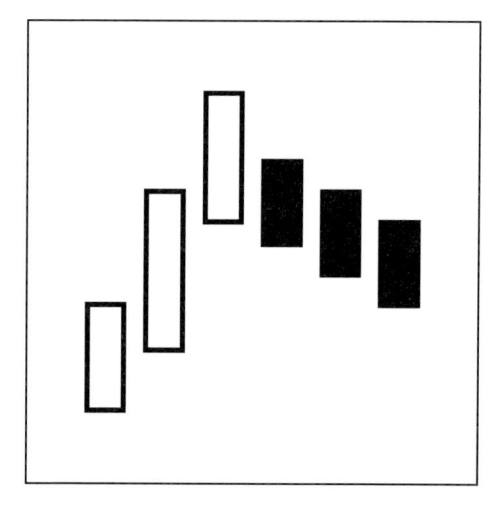

◎相場の環境と足型の特徴

相当期間上昇相場が続いた後に、陰線が前週の陽線の引け値よりかなり下位から出現し、かつ陰線が3本連続したもの。なお、2番目・3番目の陰線の寄り付きはそれぞれ前週の引け値を上回る。

◎買い手の行動と心理状態

相場が上昇過程にあるとはいえ、陰線の3連続は多くの投資家に不安感を投げかけます。一方で、強気な投資家は絶好の調整局面とばかりに、押し目買いを実行します。

◎状況分析と相場の暗示

　長きにわたり上昇が続いている途中で、特段の理由もないまま値を下げることがあります。その大半は一部の投資家が利益確保のために大口の売り注文を持ち込んだことが発端になりますが、この足型では、1本目の陰線の寄り付きが前週の引け値（終値）を大きく下回っている点に注意が必要です。利益確保に動いた投資家は、一般の投資家が知り得ない確たる情報などに基づいて寄り付きで大量の成り行き売りを実行したものと推測されます。

　そして、陰線が3本連続しますが、ここにも注目すべき点があります。2番目・3番目の陰線の寄り付きが、それぞれ前週の引け値を上回っているところです。これは、相場に対し依然として強気な見方をする投資家や小緩みを絶好の押し目と考える投資家らが、各週の寄り付きから積極的に買い注文を持ち込んだためと考えられます。しかしながら、結局利食いなどの売り圧力が勝りました。

　さて、相当期間上昇を続けた相場は、ファンダメンタルズから大きく上方に乖離していることが多く、かつ市場に存在する買い建て残高（ロングポジション）は大規模に膨れ上がっています。このような状況の中、当初大口の

売り注文が持ち込まれるきっかけとなった限られた情報が次第に投資家のあいだに広く浸透していくことで、相場は下げ足[注]を速めていきます。

買い建て玉の利食いが望まれる局面です。

第4章◆「ローソク足」チャートの複合線はこう読む

04 天井打ちを暗示する足型

◎実　例

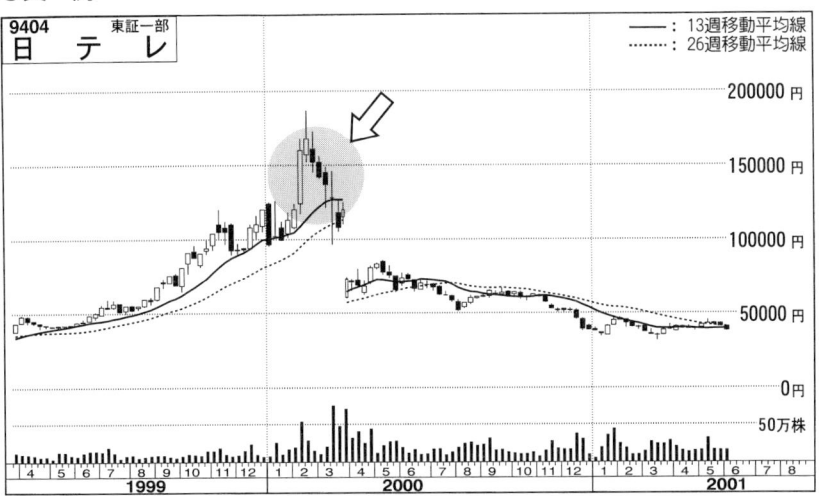

　上は日本テレビ放送網（9404）の週足です。2000年2月最終週から陰線が3本連続し、「三羽ガラス」が出現、大天井を打っています。
　大幅に下落した後、相場は長期間低迷状態を続けています。

【下げ足】相場が安くなっていく状態。逆に相場が高くなっていく状態を「上げ足」といいます。ともに「○○足を速める」「○○足が急だ」などと使われます。

（6）首吊り線
くびつ せん

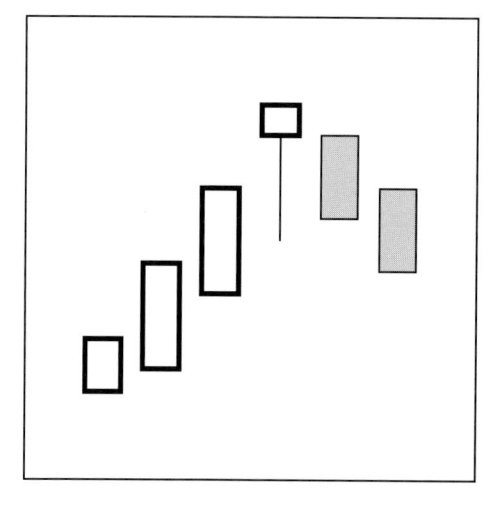

◎相場の環境と足型の特徴
　しばらく続いた上昇過程で、マドを開け上放れて出現した「陽のカラカサ」。

◎買い手の行動と心理状態
　相場の先高期待が高まり、買い注文が殺到、ギャップアップが生じました。一時的に大幅な下押しがみられ、投資家に不安感が広がりますが、高値引けしたことで安堵し、さらなる上昇を期待します。

◎状況分析と相場の暗示
　この週は、週初めから週末まで大きな高下をみせました。投資家の行動などを推測すると、次のようなケースが考えられます。
　まず前週末、市場参加者に大いに好感されるうわさなどが出回り、寄り付きから買い注文が殺到してマド開けが生じました。のちに、それは事実に反するといったうわさが流れて相場は急反落。そして週末にかけては、真相が究明され投資家にとってポジティブな内容であったために、急上昇しそのまま高値引けとなった、というケースです。
　あるいは、市場参加者が以前から期待していた材料が突然発表になり、週初めにギャップアップが生じたものの、多くの投資家にとってその内容が予想の範囲内であったことから、利益確保のための売り注文が殺到、大幅に下押しします。が、週末にかけては相場の一段高を見込む投資家からの買い注文が、再度水準を大きく押し上げた、といったケースも考えられます。
　いずれのケースにせよ、相場の高値圏で売り抜けた投資家とあらためて購入した投資家がともに存在することは確実で、市場全体でみれば平均購入価格は大きく上方にシフトしたことが推測されます。
　このように、高値圏での高下は、相場の今後の行方について投資家の見方

が大きく二分化するところからもたらされます。

　その後相場に上昇がみられないと、新規買いなどを持ち込んだ投資家は大きく失望します。そして、ひとたび値崩れが起きると投資家からの売り注文が殺到するのです。

買い建て玉の利食いが望まれる局面です。

◎実　例

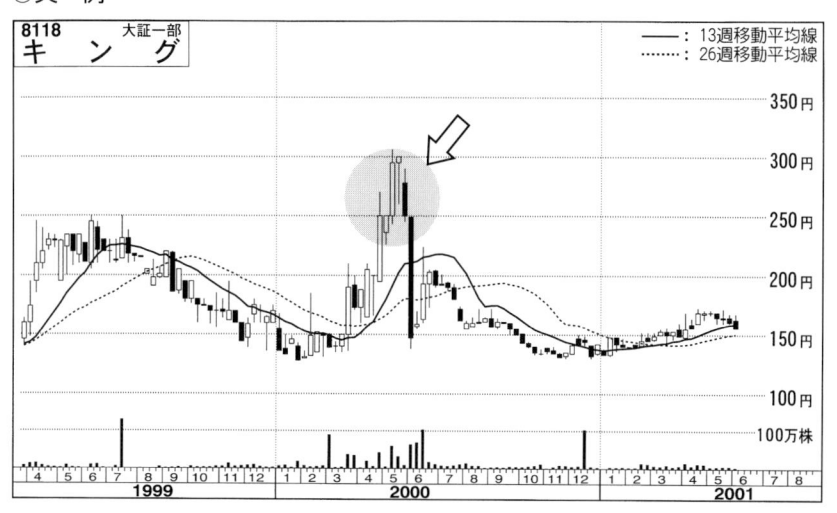

　上はキング（8118）の週足です。2000年5月第2週の大陽線に続いて翌週は陽のカラカサとなり、ギャップアップこそしていませんが「首吊り線」の出現です。それまでの上昇相場は一転、急落してしまいました。大天井が確認された瞬間です。

（7）上位の上放れ陰線

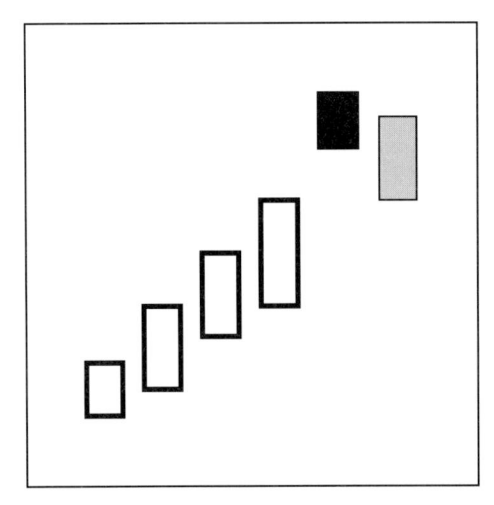

◎相場の環境と足型の特徴
　しばらく続いた上昇相場の途中、マドを開けて上寄りしたものの、最終的には陰線引けしたもので、かつ引け値は前週の引け値より上位にあるもの。

◎買い手の行動と心理状態
　相場は一段高へ、と投資家は期待を膨らませたものの、買いが続かずジリ安の展開を見て、失望感を抱きます。ただし、引け値は前週のそれを上回っていることから、焦燥感は見られません。

◎状況分析と相場の暗示
　上昇相場が長きにわたったため、投資家の買い建て玉（ロングポジション）は大きく積み上がってきています。そんな中、週末に出現した材料を機に、相場はギャップアップを見せました。
　市場参加者にとってそれが大いに好感される材料であれば、相場は引き続き買い注文を集めて大幅高を演じたはずです。しかしながら、相場は陰線引けとなってしまいました。
　この場合のマド開けは、一部の投資家の飛びつき買いに加えて、投機筋などの売り建て玉（ショートポジション）の大規模な買い戻しによって生じたものと推測されます。
　しかし、出現した材料は、多くの投資家の買い意欲を煽るものではなかったことから、次第に利食いなどの売り圧力が増してくることで、相場は反落してしまったと考えられます。
　相場の継続的な上昇には新たな支援材料が必要ですが、市場参加者の持ち高（ポジション）は大きく買いに傾いているため潜在的な下落バイアスの存在は否定し得ません。

相場は目先反落、調整色を強めます。

買い建て玉の一部に利食いを入れてもよいでしょう。

◎実　例

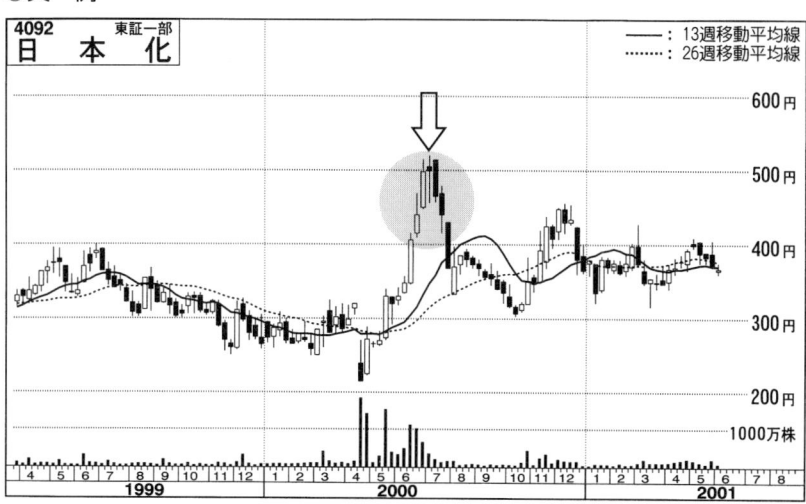

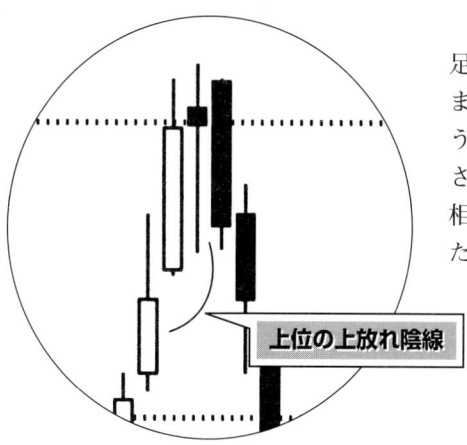

上は日本化学工業（4092）の週足です。2000年7月第1週にそれまでの上昇相場を押さえるかのように「上位の上放れ陰線」を出現させ、天井を示現させています。相場の勢いが一挙に失せてしまったことがうかがえます。

上位の上放れ陰線

(8) 宵の明星(よいみょうじょう)

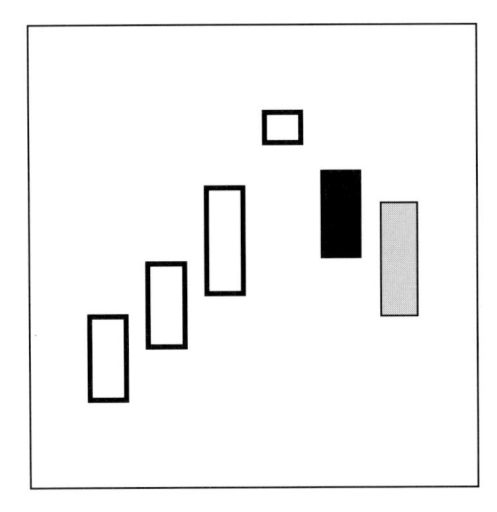

◎相場の環境と足型の特徴
　星の出現をきっかけに上昇相場が下落に転じたもの。「明けの明星」の逆のケース。

◎買い手の行動と心理状態
　マドを開けての上放れは、投資家にさらなる上昇期待感を抱かせます。しかしながら、相場は意外と伸び悩んだ上に、翌週は陰線となってしまいます。投資家の間に失望感が広がる瞬間です。

◎状況分析と相場の暗示
　「星」が出現する前週は、相当規模の買い注文が未消化のまま引けてしまったと考えられます。市場には、近日中にその銘柄にとってポジティブなニュースが発表されるなどといった憶測もあり、投資家は積極的に買い注文を持ち込んでいました。しかし、売り注文の規模は限られていたため取引が成立せず、仕方なしに当該週の寄り付きで成り行き買いを実行したものと推測されます。
　ところが、いざ発表されたニュースは投資家の期待以上の内容でなかったことから、適宜利食い売りなどが入り上値が押さえられてしまいました。
　こうして、新規の買い注文が細る一方で次第に売り注文が増していったため、「星」の翌週は陰線引けとなったといえましょう。
　相場上昇の過程で膨らんだ投資家の買い建て玉（ロングポジション）は、株価の下落とともに解消を余儀なくされ、相場に下方バイアスをかけてしまいます。

利食い千人力です。手仕舞い売りが望まれます。

◎実　例

上は三井金属（5706）の週足です。1999年12月に底を打った相場は、約9か月にわたり大幅な上昇を見せました。11月下旬にかけていったん小緩みましたが、12月第1週に大陽線が立ち、翌週のクロス出現を経て、第3週に上放れて陽のコマが発生しています。

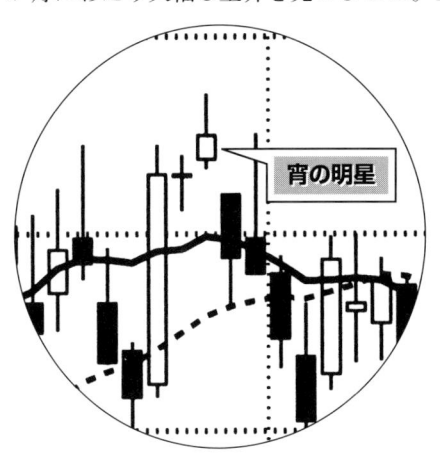

しかし、続く第4週にはマドを開けて下影陰線が入ったことで「宵の明星」が完成。その後、相場は大きく下落してしまいました。

（9）陽の陽はらみ

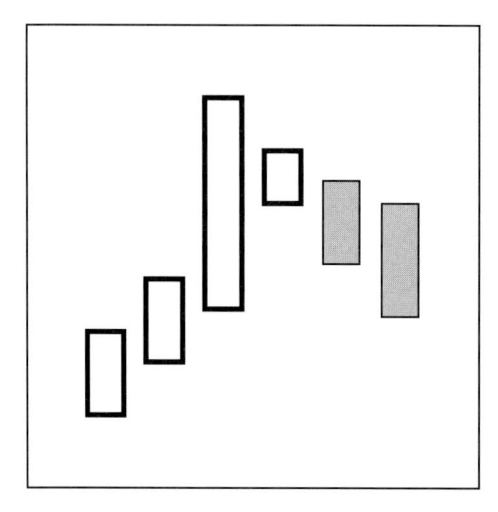

◎相場の環境と足型の特徴
　上昇相場がしばらく続く中、高値圏で大陽線が小陽線をはらんだもの。

◎買い手の行動と心理状態
　投資家の人気が殺到、買い注文が集中し大陽線を立ち上げました。翌週は高値更新こそなかったものの、再び陽線引けとなり、投資家の上昇期待は続いています。

◎状況分析と相場の暗示
　相当期間上昇を演じてきた相場では、市場の買い建て残高（ロングポジション）は大きく膨らんでいます。そこで出現した大陽線は、新規参入者による積極的な購入、およびすでにその銘柄を保有している投資家の買い増し、そして空売りしていた投機筋の買い戻しなどが一挙に集中したことで形成されたと考えられます。
　むろん、彼らにそうした行動を促す材料が出ていたことが背景にありますが、これで市場の買い建て残高は一段と増加したことになります。
　さて、これだけの買い注文を集めた相場ですから、翌週も高値更新が期待されていたはずですが、寄り付きは大陽線の引け値（終値）を大きく下回ってしまい、その後上昇力が乏しいまま週を終えてしまいました。
　これは、押し目では買い注文が相場を押し上げたものの、戻り局面では継続的な利食いの売り注文が上値を強力に押さえ込んでしまったことを表わしています。ここから、好材料に支援されたにもかかわらず、潜在的に大きな売り圧力がかかっていることを察知できます。反落局面が迫っています。

第4章◆「ローソク足」チャートの複合線はこう読む

買い建て玉の利食いが望まれる局面です。

◎実　例

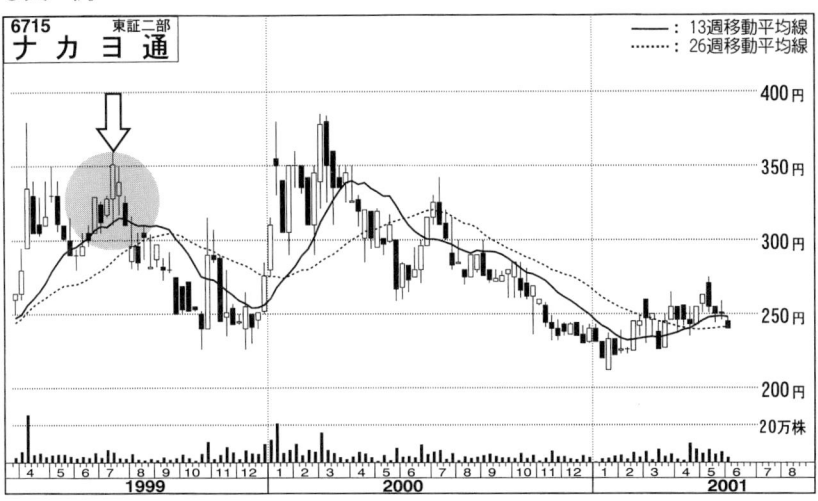

　上はナカヨ通信機（6715）の週足です。1999年7月第3週の大陽線が翌週の小陽線をはらみ「陽の陽はらみ」を出現させています。

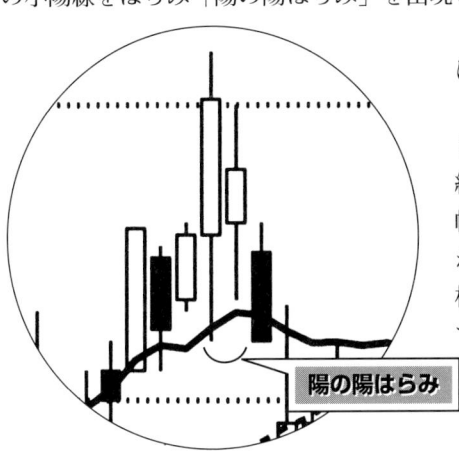

　相場は目先の天井をつけ、下落に転じています。

　類似する足型として「陽の陰はらみ」があります。高値圏で大陽線が小陰線をはらんだもので、大幅な上昇の直後に利食い売りなどが持ち込まれた状態を表わし、同様に反落局面入りを暗示するものです。

04 天井打ちを暗示する足型

（10）最後の抱き陽線

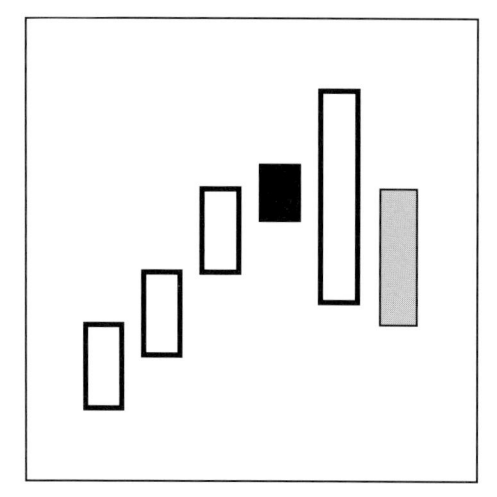

◎相場の環境と足型の特徴

相場の上昇途中で、大陽線が前週の小陰線を抱いた[注]もの。

◎買い手の行動と心理状態

高値圏で利食い売りなどが入り、相場は小緩みます。ところが翌週、力強く大陽線を立たせることで投資家の先高期待は一層高まります。

◎状況分析と相場の暗示

高値圏で利食い売りなどが持ち込まれ、小陰線を発生させました。そして、翌週も成り行き売り注文で大きく値を下げて寄り付いていることから、相場はすでに天井を形成し始めた状態だったことがうかがえます。しかし、相場は急反発し大陽線を立ち上げました。

これは、次のようなケースが想定されます。

大口の買い注文を集中的に投下できる投機筋などが、再度相場の押し上げに動いたケース。または、市場参加者に驚くほど買い意欲を沸き起こさせるうわさなどが出回ったケース。あるいは、売り建て玉（ショートポジション）を保有していた投機筋などが一挙に買い戻しを行なったケースなどです。

いずれのケースにせよ、その後、投資家からの継続的な買い注文が相場を支えない限り、この大幅上昇は一過性に終わってしまう危険性をはらんでいます。

むろん、強気な投資家は買い注文を入れていきますが、市場は大陽線の出現以前からすでに供給超過の状態にあったものと考えられ、その後相場に際立った上昇がみられない限り、投資家からの売り注文が次第に増加していきます。反落リスクに備える局面です。

【抱く】前週（前日、前月）のローソク足をスッポリ包んでしまう大陽線（または大陰線）が出現することをいいます。

第4章◆「ローソク足」チャートの複合線はこう読む

04 天井打ちを暗示する足型

買い建て玉の利食いが望まれます。

◎実　例

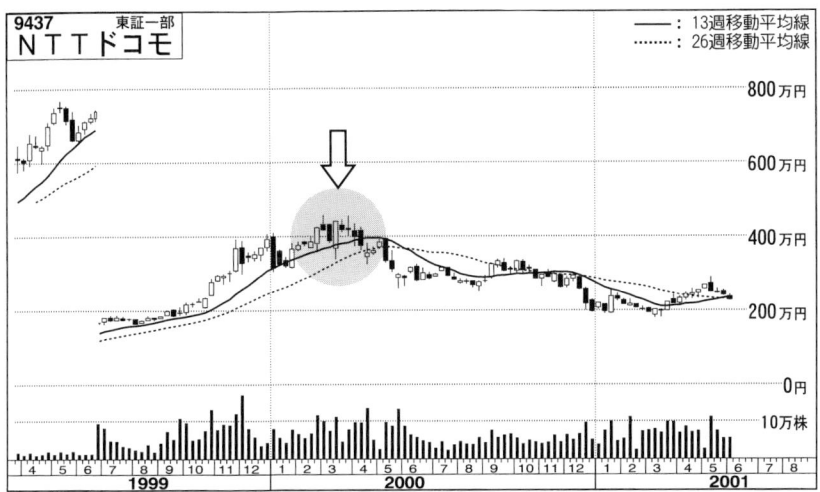

上はNTTドコモ（9437）の週足です。2000年3月第3週の大陽線が前週の陰線を見事に包んでいます。高値圏での「最後の抱き陽線」となりました。相場は大天井を形成、大きく下落しています。

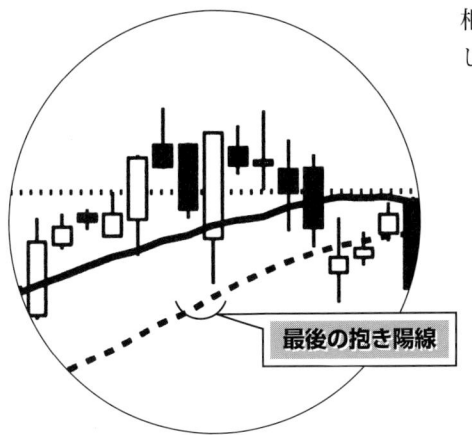

最後の抱き陽線

133

(11) 抱き陰線
　　　いだ　いんせん

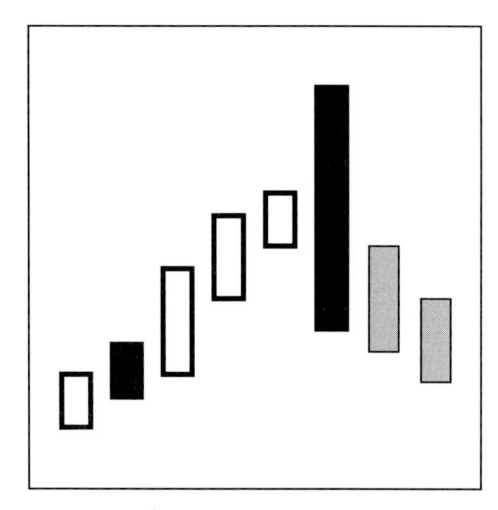

◎相場の環境と足型の特徴
　相場の上昇途中で、小陽線を翌週の大陰線が抱いたもの。

◎買い手の行動と心理状態
　これまで買い進めてきた投資家たちは、大きく失望してしまいます。相場が高値圏にあることから警戒感も生まれ、利食い売りなどが持ち込まれ始めます。

◎状況分析と相場の暗示
　極めてシンプルな天井形成局面です。
　相場が上昇過程にある中、前週の引け値（終値）を上回って寄り付きましたが、大きく値崩れを起こし、回復も見られないまま引けてしまった状態です。
　投資家にとって極めて不本意な悪材料がもたらされ、新規の買い注文が手控えられる中、利食いなどの売り注文が殺到したことによるものと考えられます。
　投資家の上昇期待感は即座に霧消し、その後も売り注文が継続して持ち込まれます。

> 買い建て玉の利食いが望まれます。

第4章◆「ローソク足」チャートの複合線はこう読む

◎実　例

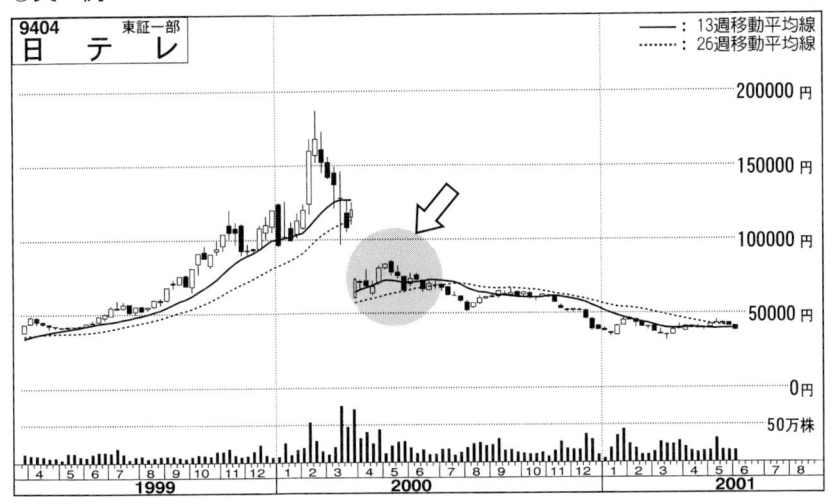

　上は日本テレビ放送網（9404）の週足です。2000年2月最終週からの「三羽ガラス」で一番天井を打ち（122ページ参照）、3月の株式分割後いったん持ち直したものの5月第2週の大陰線が前週の小陽線を抱いたことで、高値圏での「抱き陰線」出現となって二番天井[注]を打ち、99年からの大相場に終わりを告げました。

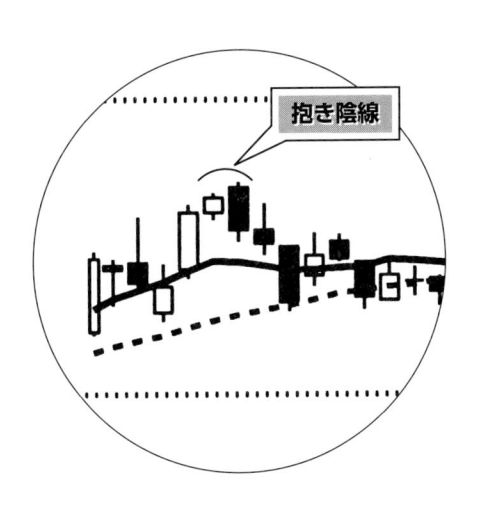

【二番天井】上昇相場がいったん下落に転じた後で盛り返したものの、再度下落に転じてできた2つ目の天井。最初の天井は「一番天井」といいます。

（12）つたい線の打ち返し

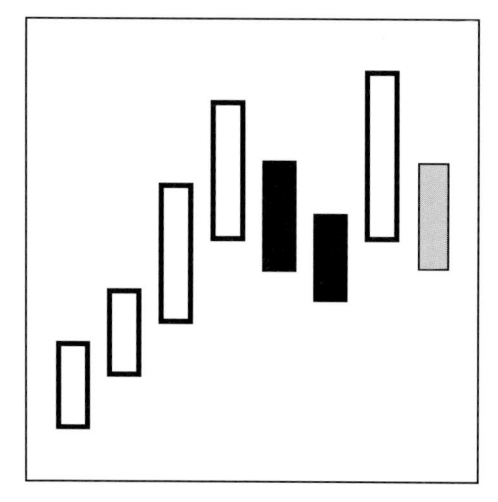

◎相場の環境と足型の特徴

「つたい線」とは、上昇相場の途中で前週の陽線の引け値より安寄りして陰線となり、さらに翌週も陰線となった一連の過程。「つたい線の打ち返し」は、この連続陰線の翌週に突然大陽線を立てたもの。

◎買い手の行動と心理状態

これまで買い進めてきた投資家たちは大きく失望し、高値警戒感も芽生えることで、利食い売りなどを持ち込み始めます。そんな折出現した大陽線に、安堵感を抱く投資家もいます。

◎状況分析と相場の暗示

相場の形状の根底にある考え方は、「最後の抱き陽線」と類似しています。高値圏で利食い売りなどが持ち込まれ陰線が連続しており、相場は天井の形成過程にあったことがうかがえます。しかし、相場は急反発し大陽線を立ち上げました。

投機筋が買い仕掛け[注]を行なったケースや売り建て玉（ショートポジション）を一挙に買い戻したケース、またはうわさなどの影響を受け一時的に大口の買いが持ち込まれたケースなどが想定されますが、その後投資家からの継続的な買い注文が相場を支えない限り、株価の維持は難しい環境です。

強気な投資家は買い進めてみますが、市場は大陽線の出現以前からすでに供給超過の状態にあったものと考えられ、その後相場に際立った上昇がみられない限り投資家からの売り注文は嵩み、相場に下方バイアスをかけ続けます。

【買い仕掛け】 相場の上昇を狙う投資家が、自ら買いを入れて上昇局面を演出し、「ちょうちん買い」などを誘う行為。

買い建て玉の利食いが望まれます。

◎実　例

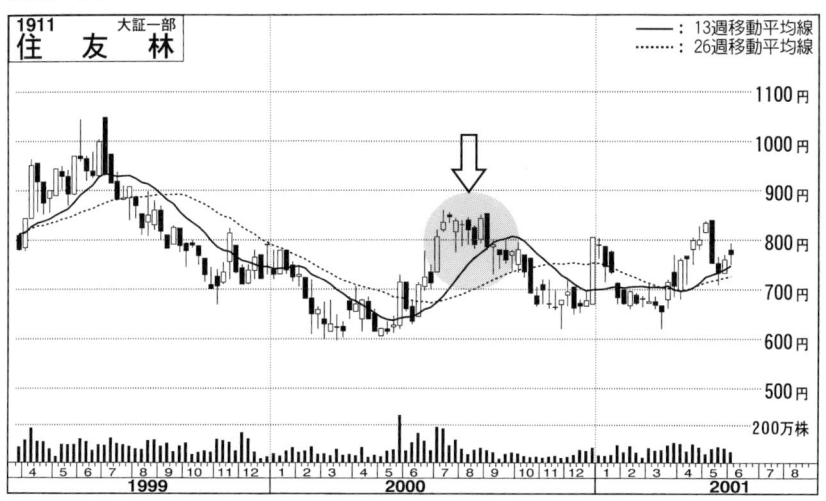

```
1911　大証一部
住　友　林
——— 13週移動平均線
------- 26週移動平均線
```

上は住友林業（1911）の週足です。2000年7月最終週の下影陰線と続く「トンボ」（40ページ参照）の後、8月第2週・第3週が連続陰線となりました。第4週には大陽線を立てますが、これが「つたい線の打ち返し」となり、翌週に上位から大陰線が入ると、相場は勢いを失い下落に転じています。

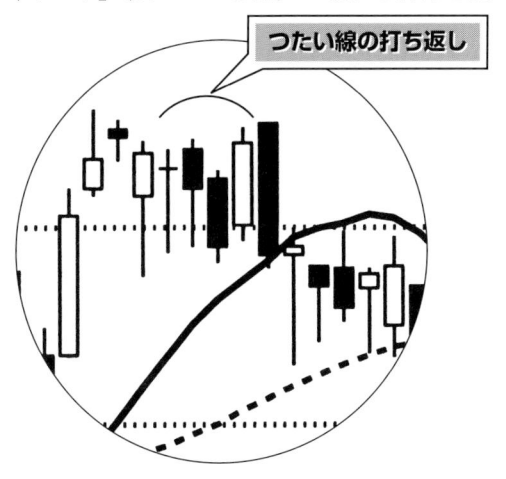

つたい線の打ち返し

04 天井打ちを暗示する足型

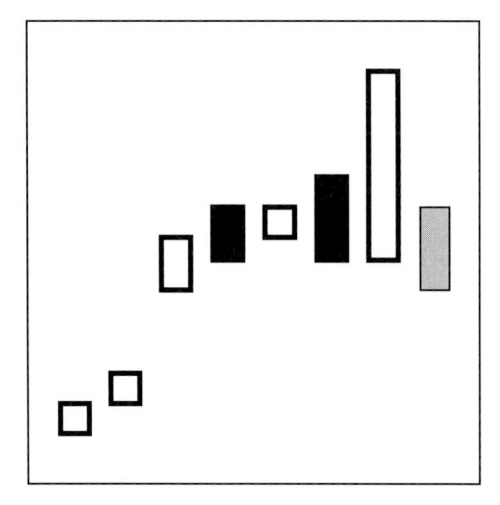

(13) 放れ五手赤一本
　　　はな　ご て あかいっぽん

◎相場の環境と足型の特徴

　上昇相場の途中、マドを開けて取引水準が上方にシフトし、もみ合いが続く中、大陽線を立ち上げたもの。

◎買い手の行動と心理状態

　ギャップアップ後、一段の上昇を見込む投資家の買いと、利益を確定させる投資家の売りが交錯、もみ合っている状態です。大陽線の出現に投資家は再び安堵感を抱きます。

◎状況分析と相場の暗示

　マド開けが生じ、株価はさらに上昇しました。新規に買い注文を持ち込む投資家も多数存在しますが、その後相場は一気に高騰していないことから、ほぼ同規模の利食い売りなどが持ち込まれていたものと推測されます。

　さて、しばらくもみ合いが続いたのち（通常、マドを開けてから５週～７週目に）大陽線が立ちます。これはより慎重な投資家が「現状の取引水準は高値圏にはあるものの、相場は意外に底固い」との判断のもとようやく新規買いに動いた場合や、投機筋が予想以上に緩まない相場をみて売り建て玉（ショートポジション）の買い戻しを実行した場合にしばしば見られる現象です。

　ところで、ギャップアップ後のもみ合い期間中に、新規買いと利食い売りなどが交錯したことで、市場全体としての平均購入価格は大幅に上方にシフトしてしまいました。

　加えて、大陽線出現時の新規買いや売り建て玉の買い戻しによって、市場の買い建て残高（ロングポジション）は一段と増加したと考えられます。

　その後、相場が際立って値を上げない限り、自律反落してしまう可能性が高まります。

大陽線出現の翌週に、買い建て玉の一部を利食うのが無難です。通常、マドが開く直前の水準程度までの調整を見るとされています。

◎実　例

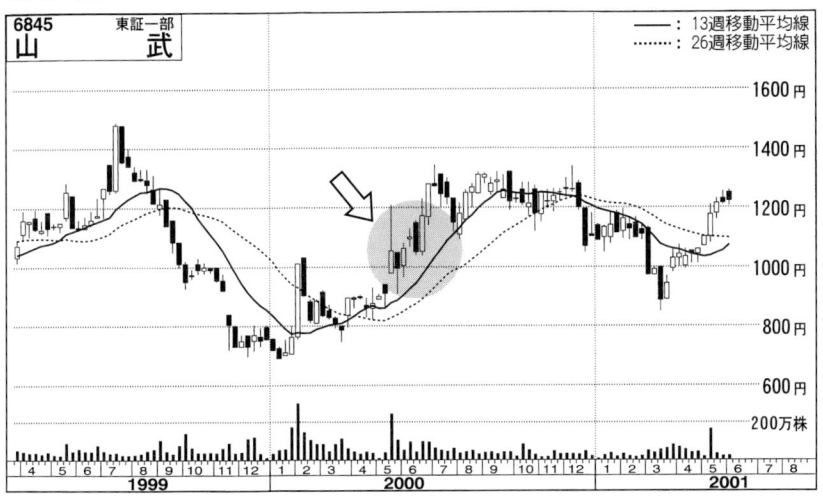

◆04 天井打ちを暗示する足型

上は山武（6845）の週足です。やや変形していますが、2000年5月第3週に上放れ上影陽線が立ち、その後上昇、もみ合いを見せ6月第4週に大陽線が出現、「放れ五手赤一本」を発生させました。その後相場は一段高となりましたが上値は急速に重くなり、調整色を強めています。

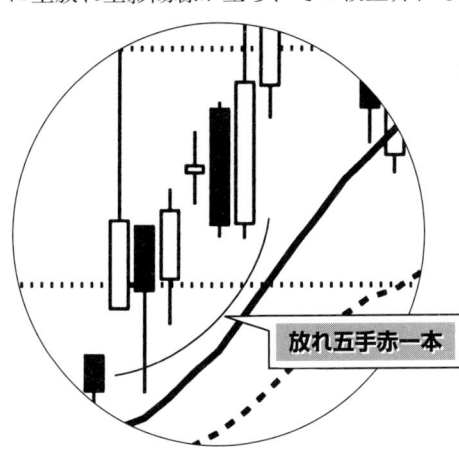

放れ五手赤一本

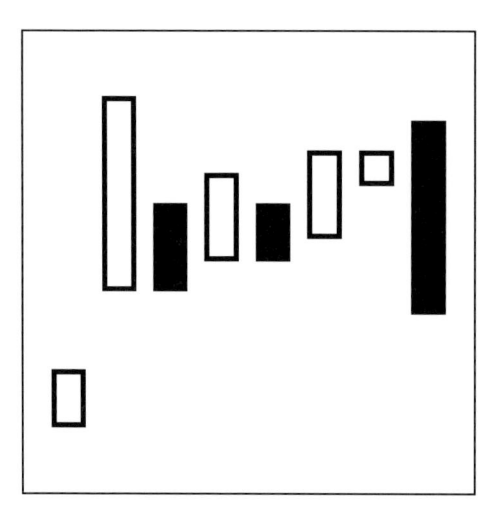

（14）放れ七手大黒(はなななてだいこく)

◎相場の環境と足型の特徴

　上昇相場の途中、マドを開けて大陽線を立てたのち、しばらく高値圏でのもみ合いを経て、上位から大陰線が入ったもの。

◎買い手の行動と心理状態

　ギャップアップ後、一段の上昇を見込む投資家の買いと利益を確定させる投資家の売りが交錯しています。しかし、大陰線が発生してしまい、投資家の上昇期待は急速に萎み失望感へと転じていきます。

◎状況分析と相場の暗示

　マド開けが生じ大陽線を立てたにもかかわらず、多くの市場参加者が期待していたほどには相場は上昇をみせませんでした。新規の買い注文などが持ち込まれる一方で利食い売りを浴びせる投資家もおり、市場の需給はバランスしてしまったと考えられます。

　こうした場合、通常は5週から7週目にどちらかにもち合いを放れますが、もち合い上位から大陰線が入ると相場は反落を見ます。

　売買が交錯したもみ合い期間中に、市場全体としての平均購入価格は、大幅に上方にシフトしてしまいました。大陰線の出現で投資家の一段高期待はあえなく萎んでしまい、その後は利益確保のための売り注文が加速度的に増えていきます。

> 大陰線出現の翌週は、買い建て玉を利食う局面です。通常、相場はマド開け直前の水準程度まで調整するとされています。

◎実　例

上はナイス（8089）の週足です。2000年4月最終週に上放れて大陽線が立ちました。その後5週間のもみ合いを経たのち再度大陽線が出現しますが、翌週上位から陰線が入り、「放れ七手大黒」を発生させています。7月上旬の上値トライもむなしく、まもなく相場は下落に転じてしまいました。

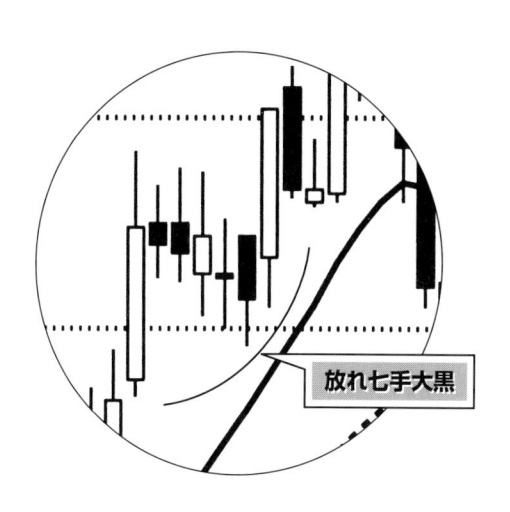

05 天井打ち後の下落局面で売り逃げるために

（1）差し込み線

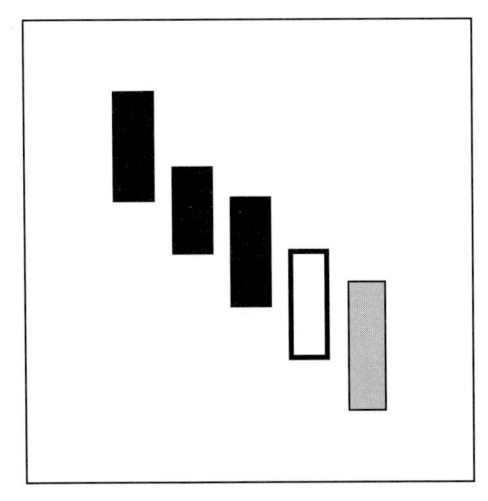

◎相場の環境と足型の特徴

下落相場で陰線が連続して出現している時に、前週の引け値より下位にて寄り付き、実体内に値を戻して引けた陽線。

◎買い手の行動と心理状態

投資家は陰線の連続に大きく失望してしまいます。そんな折、陽線が立つことで安堵感を抱き相場の反発を期待します。

◎状況分析と相場の暗示

株価が直近高値から下方に放れてきた直後に、すでに相場は天井を打ったと断言できる投資家は極めて稀にしか存在しません。数多くの投資家は相場が再度上昇することを期待し、その成り行きを見守っています。

投資家にとって一番好ましい価格変動は、短時間で株価が大きく上昇することですから、単位時間当りの収益率の変化は、相場の行方を占う上で重要な要素となります。

上昇相場が長く続いた後の連続陰線は、単位時間当りの収益率をマイナスに押し下げるため、やがて投資家に利食い売りなどの持ち込みを促す結果となります。

さて、こうして株価は下落していきますが、時に値頃感から押し目買いなどが入ると、相場は一時的に反発をみせることがあります。しかし、市場に存在する買い建て残高（ロングポジション）は大きくは減少していないこと

から、相場の戻り局面では売り注文が上値を押さえ、下方バイアスをかけ続けます。

> 利食い損ねたと思われる買い建て玉は、この陽線を利用して手仕舞うことが可能です。

◎実　例

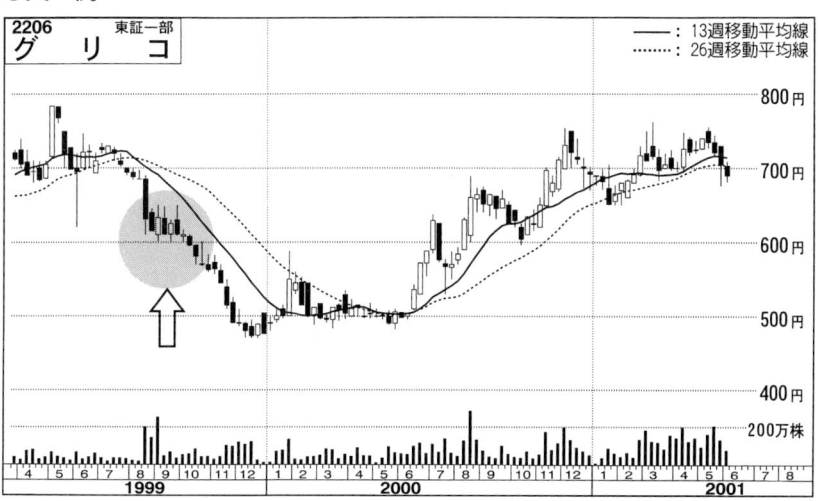

上は江崎グリコ（2206）の週足です。1999年９月第１週の陽線が「差し込み線」となりました。相場の上値は依然として重く、続落していきました。

（2）下放れ三手(したばなれさんて)

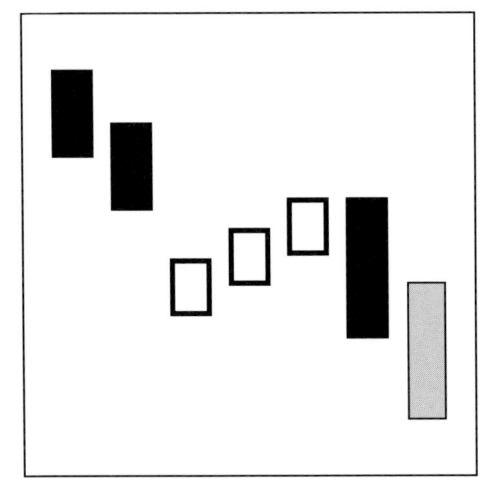

◎相場の環境と足型の特徴
　前週の引け値からマドを開けて下位にて寄り付き、これまでの下落相場の流れに逆行し陽線が3本連続したものの、翌週には再び陰線が入った一連の過程。

◎買い手の行動と心理状態
　下落途中のギャップダウン発生は、投資家に失望感をもたらすとともに下値不安を抱かせます。しかし、その後陽線が3連続することで冷静さを取り戻しますが、翌週の陰線出現に絶望します。

◎状況分析と相場の暗示
　相場の下落途中で、投資家に不安感をもたらすようなデマ・うわさなどが流れると、売り注文が殺到し株価は大きく下落します。下方へのマド開けはこのような環境が背景にあったと推測されます。
　しかし、デマ・うわさが公式に否定されると、投げ売ってしまった投資家が買い戻しを行なったり一部の投資家が新規に買い注文を入れるため、通常はやや値を戻します。こうして、連続陽線が立ったと考えられますが、買いが一巡した後、相場の戻りを待っていた投資家などから大量の売り注文が持ち込まれると、相場は再度下落に転じてしまいます。
　その後、デマ・うわさなどが公式に否定され値を戻し始めた水準（1本目の陽線）まで相場が下落すれば、値頃感から押し目買いなども入りやすいといえますが、市場に存在する買い建て残高（ロングポジション）は株価の下落に反して増加している可能性があり、値崩れを起こす確率は一層高まったと考えられます。

第4章◆「ローソク足」チャートの複合線はこう読む

05 天井打ち後の下落局面で売り逃げるために

利食い損ねたと思われる買い建て玉は、いったん手仕舞うほうが無難です。

◎実　例

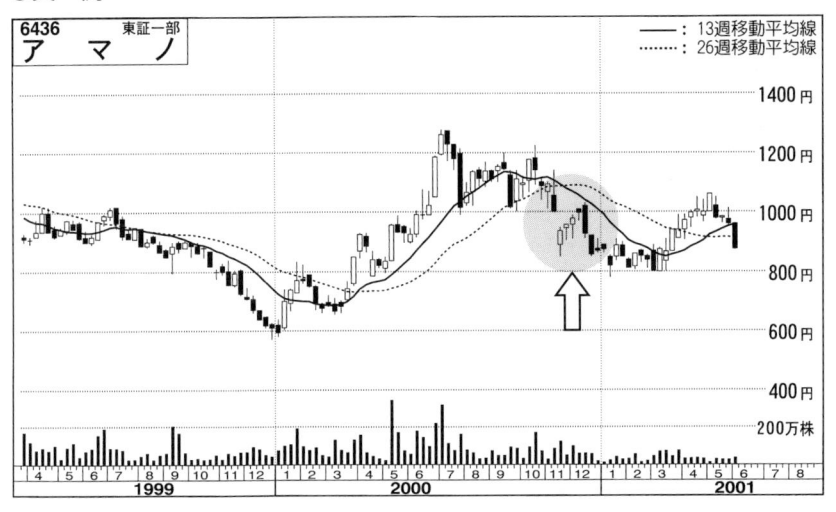

上はアマノ（6436）の週足です。2000年11月第2週の上影陰線出現の翌週に大きくマドを開け下放れて陽線が立ち、小陽線が3本連続しました。

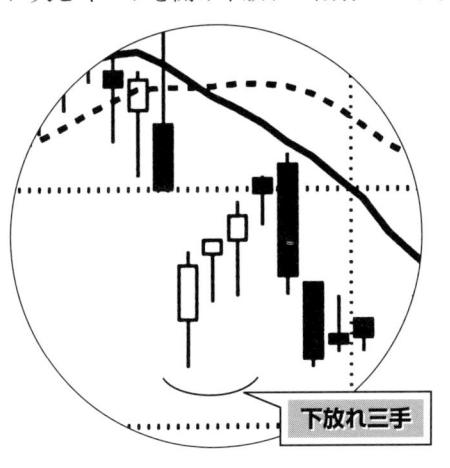

12月第3週に大陰線が入ると、相場は一段安となっています。

下放れ三手

（3）下げ三法（さげさんぽう）

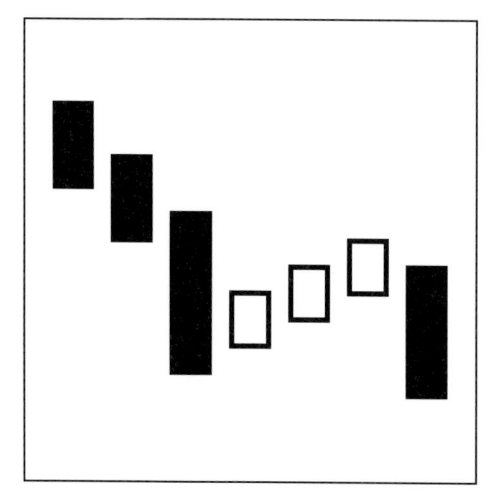

◎相場の環境と足型の特徴

　下落相場の初期段階で、大陰線に続いて陽線が3本連続して出現した翌週、再度大陰線が入り一気に3本の陽線を下抜いた一連の過程[注]。

◎買い手の行動と心理状態

　下落相場が続く中、投資家の失望感は高まりつつあり、やむなく売り注文を持ち込んでいました。そんな折、陽線が3本連続します。投資家の下値不安は薄れ、安堵感が芽生え始めます。しかしながら、再度の大陰線の出現は投資家を絶望の淵に追いやります。

◎状況分析と相場の暗示

　投資家からの売り圧力が増してくることで相場は下げ足を速め、比較的大きな陰線を連続して発生させていました。相場が高値から一定の水準まで下げてくると、株価に値頃感も生まれ、押し目買いなどが相場を小反発させることがあります。

　陽線の3連続は、このようにして生じたと考えられます。また、売り仕掛けを行なってきた投機筋などが一時的に買い戻しを実行したとも推測されます。

　さて、ここで重要な点は、3本の陽線が大陰線にスッポリとはらまれてしまっているところです。

　つまり、下落途上で3週間も上げ相場を演じたにもかかわらず、最終週の引け値（終値）ですら直前の大陰線の高値を超えることができなかったところに、反発力の弱さ、裏を返せば市場に依然として大きな売り圧力が潜在的に存在していることを示唆しています。

　続く大陰線は、投資家が我れ先にと投げ売りを持ち込んだ結果です。

【注】ただし、3本目の陽線の引け値（終値）は最初の大陰線の高値を上回らない（上回ってもわずかである）こと、そして2番目の大陰線の引け値は最初の陽線の寄り付き値を下回ることが条件。

第4章◆「ローソク足」チャートの複合線はこう読む

> 利食い損ねたと思われる買い建て玉は、いったん手仕舞ったほうが無難です。

◎実　例

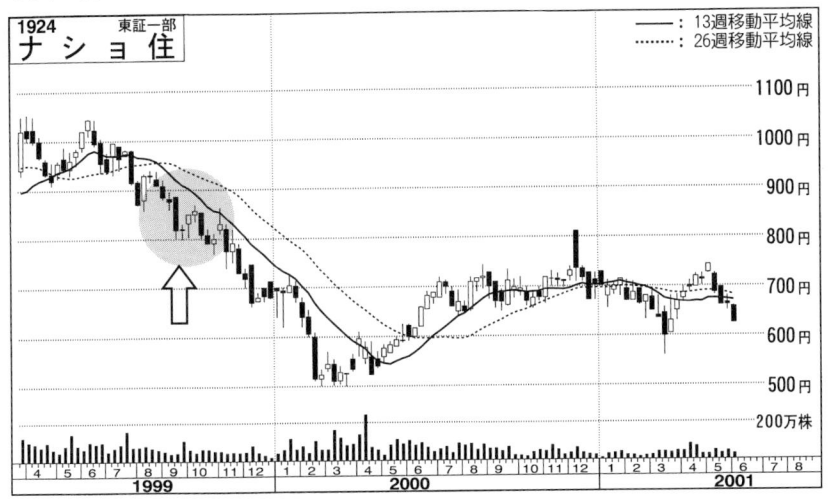

05　天井打ち後の下落局面で売り逃げるために

上はナショナル住宅産業（1924）の週足です。1999年9月第3週の大陰線が、続く十字線と2本の小陽線をはらみ、「下げ三法」を発生させました。その後、相場は大きく続落しています。

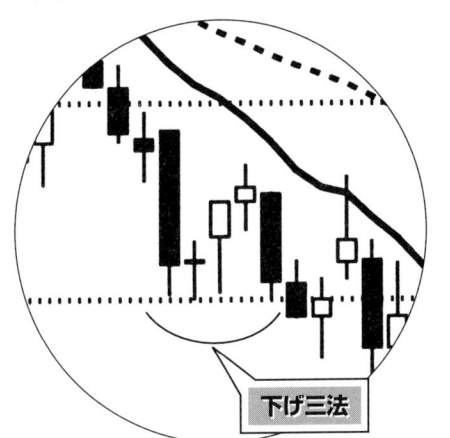

147

（4）三手打ち

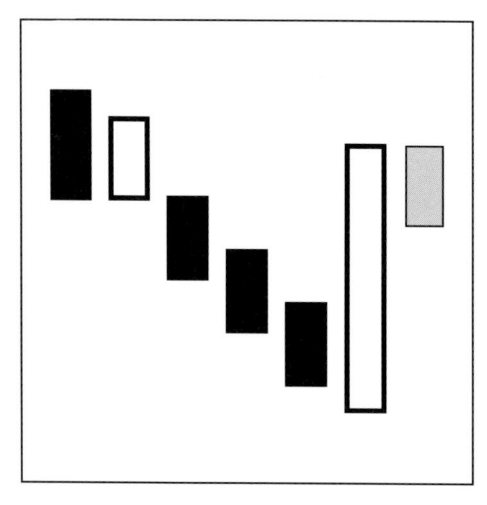

◎相場の環境と足型の特徴

下落相場の途中で突然、直前3週間の値幅を包んでしまう大陽線が出現したもの。

◎買い手の行動と心理状態

投資家は失望感の高まりとともに買い建て玉（ロングポジション）の解消売りなどを持ち込んでいました。そんな折に立てた大陽線が相場の底入れにつながることを期待します。

◎状況分析と相場の暗示

大陽線立ち上げのきっかけとなった材料[注]の質によって、その後の相場展開は変わってきます。

まったく予想し得なかった材料で、かつその銘柄の本質的価値を将来にわたって押し上げるであろうと市場参加者に好感される内容のものであれば、その後も多くの投資家からの買い注文を集め、相場は反発に向かいます。

一方、大陽線が単なるデマ・うわさによって立ち上がり、のちに公式に否定されるケースや、これまで空売りを浴びせ、株価を押し下げてきた投機筋などが一挙に売り建て玉（ショートポジション）の買い戻しに動いたことで大陽線が発生するケースの後では、継続的な買い注文が持ち込まれる可能性は低いと考えられます。この場合、相場は再び売り圧力にさらされます。

大陽線の出現後、投資家の失望感は上昇期待へと変化しつつありますが、材料の内容とその質を吟味してから行動したほうが無難な局面です。

> 相場の反発に自信が持てない場合は、手仕舞い売りが無難です。

【材料】相場を動かす要因の総称。金利や為替などの「外部要因」と企業業績や市場の需給などの「内部要因」の2つに大別されます。

◎実　例

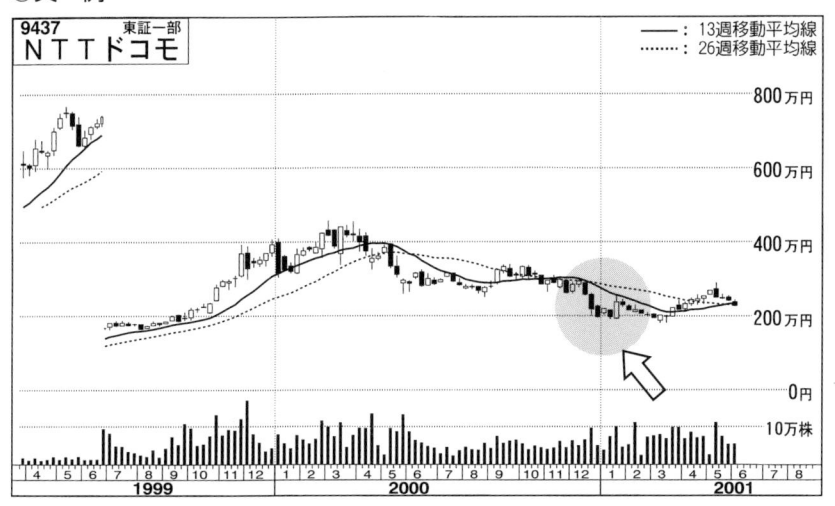

 上はNTTドコモ（9437）の週足です。2001年1月第3週に直前3週間分の値幅を包んでしまう大陽線が立ちました。これが「三手打ち」です。大陽線出現の割りには上値は重く、相場はその後緩やかな下落局面入りとなっています。

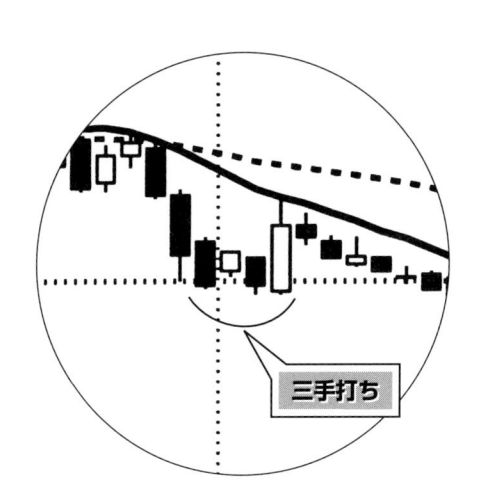

（5）下落途上の連続タスキ

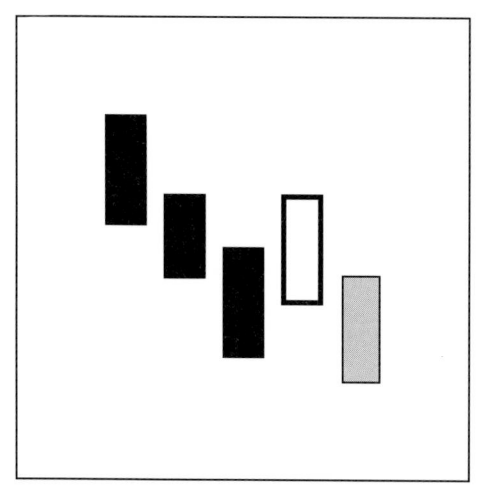

◎相場の環境と足型の特徴

下落相場の途中で「連続陰線」に陽線が「タスキ」[注]をかけたもの。

◎買い手の行動と心理状態

陰線の連続で投資家の失望感は高まっています。しかし、陽線の出現で安堵感を抱き、打診買いなどを入れる投資家もいます。

◎状況分析と相場の暗示

下落相場の途中で値頃感などから買い注文が入り、相場は一時的に押し上げられたため、陽線を形成した（タスキをかけた）ものと考えられます。

天井を打った後の下落相場では、時折このような買い注文が入ることで、小康状態となる局面がありますが、投資家の買い建て残高（ロングポジション）は依然として相応の規模で存在しており、反発は短期間で終了し、再び下げ相場に戻ってしまうのが一般的です。

「タスキ」出現の翌週は、利食い損ねたと思われる買い建て玉の手仕舞い売りを持ち込むチャンスです。

【タスキ】98ページ脚注参照。

◎実　例

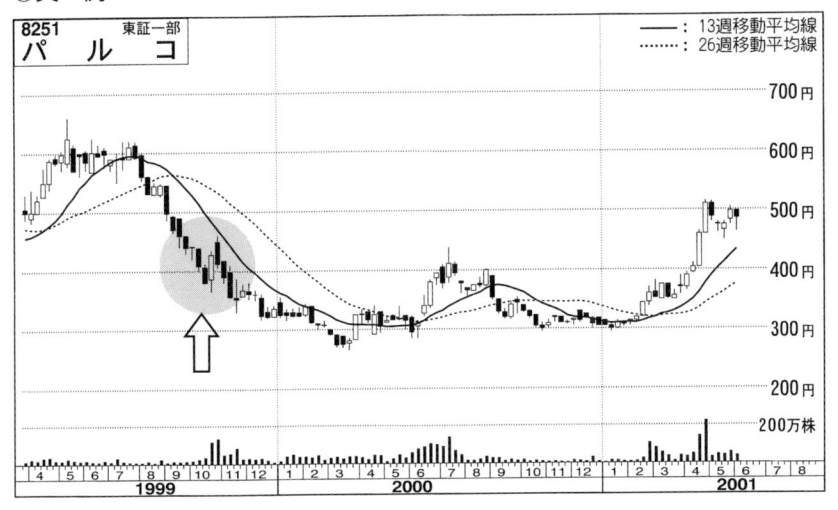

上はパルコ（8251）の週足です。1999年10月第4週の陽線が連続陰線にかけたタスキとなり、「下落途上の連続タスキ」が出現しました。相場はその後、続落しています。

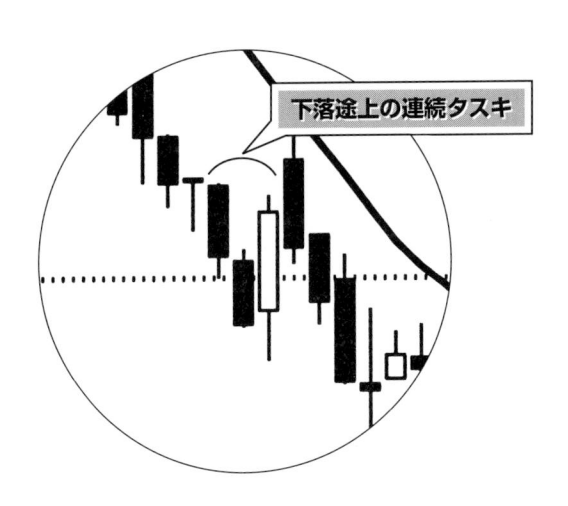

（6）化け線

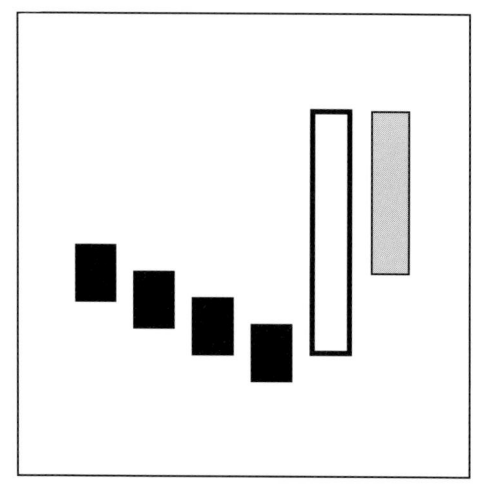

◎相場の環境と足型の特徴
　下落相場の途中、大陽線が唐突に出現したもの[注]。

◎買い手の行動と心理状態
　突然の大陽線の立ち上げで、投資家の不安感・失望感は払拭され、上昇期待感が沸き起こります。

◎状況分析と相場の暗示
　下落途上で立ち上げた大陽線にはとりわけ注意する必要があります。

　「三手打ち」のところで解説したように、相場の継続的な上昇を後押しするような、根拠のある大陽線であれば、追随してもよいでしょう。しかしながら、特に下げ相場では高値での売り抜きを狙ってデマ・うわさを流す筋などもおり、大陽線の出現イコール強気相場、よって新規買いなどと短絡的に行動すると、思わぬ損失を被ってしまうことがあります。
　このようにして上昇した価格は、デマ・うわさが公式に否定されると即座に急反落してしまいます。
　「冷静さ」が要求される局面です。デマ・うわさの真相を見極めてから行動しても間に合います。

> **根拠なき大陽線の場合は、これ幸いと買い建て玉を手仕舞うチャンス**スと考える心の余裕を持ちたいものです。

【注】上昇相場の途中、大陰線が唐突に出現したものも「化け線」といいます。

◎実　例

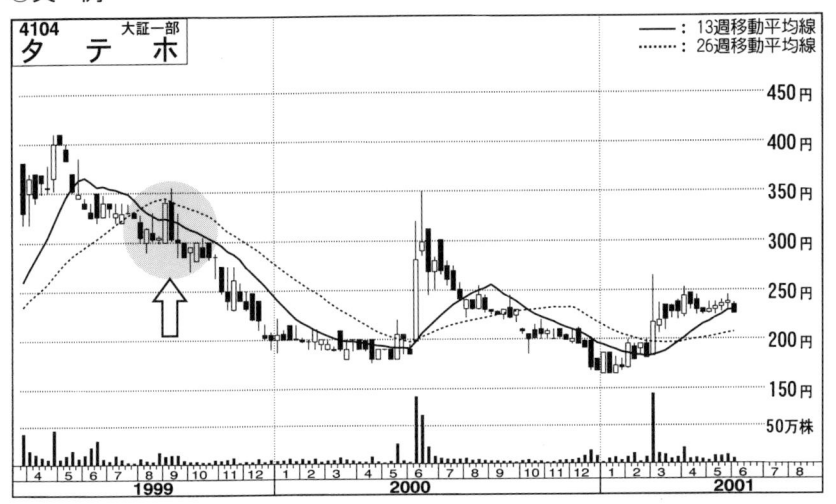

上はタテホ化学工業（4104）の週足です。1999年9月第1週に突如大陽線が立ち、「化け線」が出現しています。しかし翌週は、ほぼ同規模の大陰線となってしまい、その後相場は大幅に続落してしまいました。

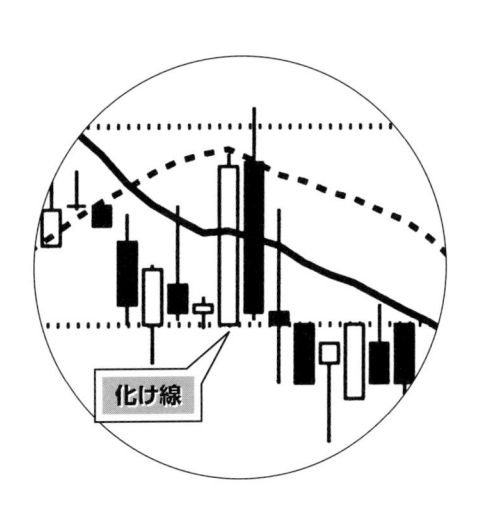

（7）下げ足のクロス

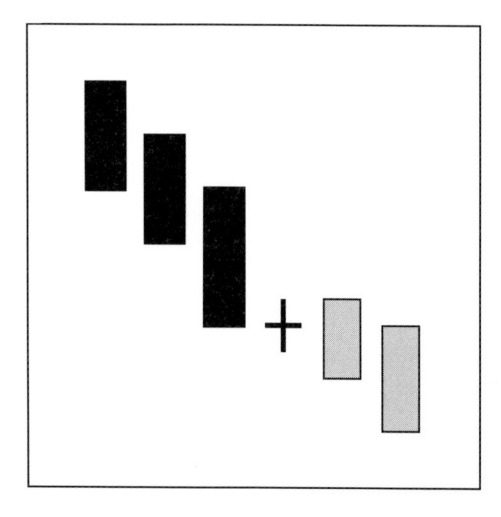

◎相場の環境と足型の特徴

　下落相場の初期段階で、「クロス（十字線）」が出現したもの。

◎買い手の行動と心理状態

　一部投資家の利食いのための売り注文が相場を緩やかに押し下げます。一方、ある程度下落したところでは、値頃感からの買い注文も持ち込まれ、売買が交錯します。クロスは投資家が気迷っていることの証です。

◎状況分析と相場の暗示

　相場が天井を打ったか否かの判断は非常に難しく、天井のサインが出始めていても、多くの投資家の上昇期待は存続し、天井圏では大規模に積み上がった買い建て残高（ロングポジション）は解消されにくい傾向にあります。特に、上昇期待感を抱く投資家が多いほど、相場の押し目では買い注文が持ち込まれやすく、下げ相場が始まっていてもその速度は緩慢です。

　一方、株価の下落に伴い、利益を固めようとする投資家からの売り注文も増加していきます。こうした状況の中、売買が交錯し投資家に相場の方向性について気迷いが生じると、クロスが発生します。

　しかし、下落相場の初期段階では市場の買い建て残高はあまり減少していないことから、相場の流れは自律的にダウンサイドへと回帰していきます。

　ただし、安値圏でクロスがマドを開けて出現した時は底入れの前兆（捨て子底[注]）となりますので、出現位置には十分な注意が必要です。

> 「クロス」の翌週が陰線の際は、迷わず手仕舞ったほうが無難です。

【捨て子底】60ページ参照。

◎実 例

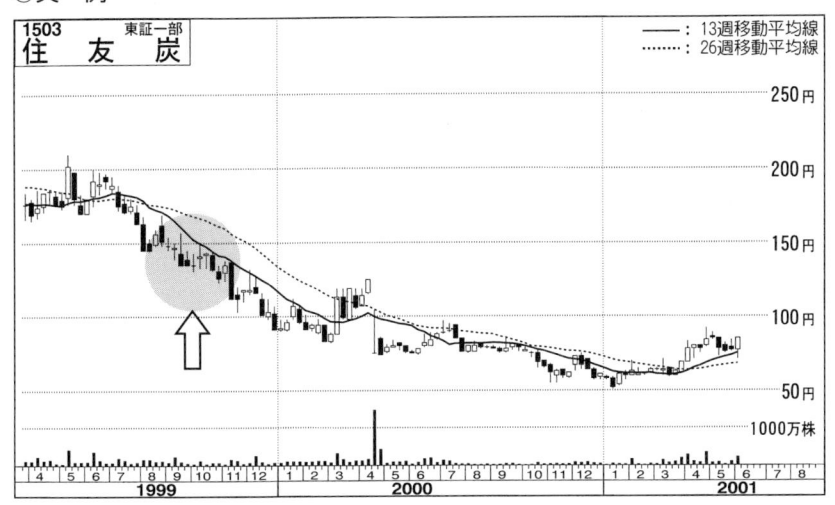

上は住友石炭鉱業（1503）の週足です。下落相場の途中、1999年10月第1週にクロスが連続陰線に続いて出現し、「下げ足のクロス」となりました。その後、相場は大幅安を見せています。

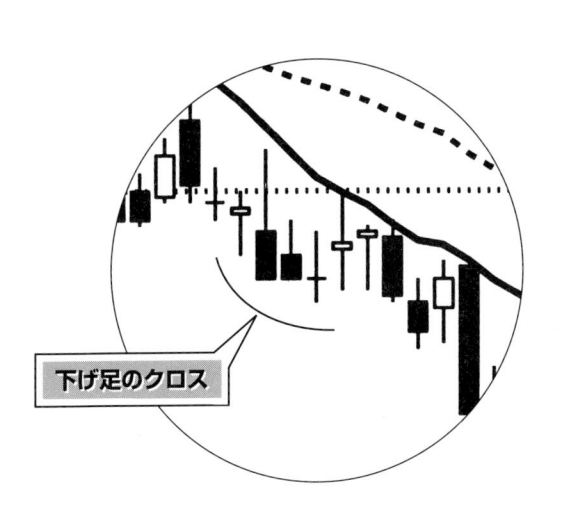

（8）下放れ黒二本

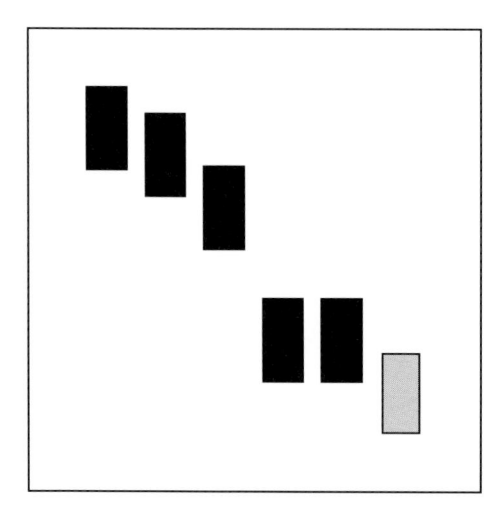

◎相場の環境と足型の特徴

　下落相場の初期段階で、マドを開け下放れた陰線が2本連続したもの。

◎買い手の行動と心理状態

　下落途中のギャップダウンは投資家に恐怖心を植えつけます。翌週も戻りらしい戻りはみられず、陰線引けすることで、投資家は絶望し、買い建て玉の売却を急ぎます。

◎状況分析と相場の暗示

　相場が下落基調（ダウントレンド）にある中、さらなる悪材料の出現で大量の投げ売り注文などが持ち込まれると、ギャップダウンが生じ、株価水準が大きく下方に修正されることがあります。

　また、投資家の「大台へのこだわり」もマド開けを誘発する遠因になり得ます[注]。

　具体的には、「日経平均が1万円を割ってしまったから、自分の保有している株式も処分したほうが無難だ」といった類のものです。日経平均株価に完全に連動する銘柄の数など知れているのに、心理的な支えを失い、保有銘柄を売却してしまうのです。

　こうして、外的なショックを受けた投資家が多いほど、売り注文はいっせいに持ち込まれやすく、ギャップダウンの形成を促します。

　マド開け後下放れた陰線の2本連続は、投資家にとって精神的なインパクトもさることながら、もちろん保有資産の含みに大きな影響を与えます（含み益の急減または含み損の急増）。

　この足型には十分な注意が必要です。時に相場を暴落へと導きます。

【注】「大台へのこだわり」をメディアが助長することもあります。例えば「日経平均株価ついに1万円割れ」のように、相対的にキリのよい数字が一つの節目として取り上げられることで、投資家は無意識のうちに大台の変化から心理的な影響を受けているのです。

可及的速やかに、買い建て玉を処分することを検討してください。

◎実　例

上はパルコ（8251）の週足です。1999年９月第１週に大陰線が出現したのち、下放れて翌週と翌々週とが連続陰線となり、「下放れ黒二本」が形成されました。その後相場は大きく続落してしまいました。

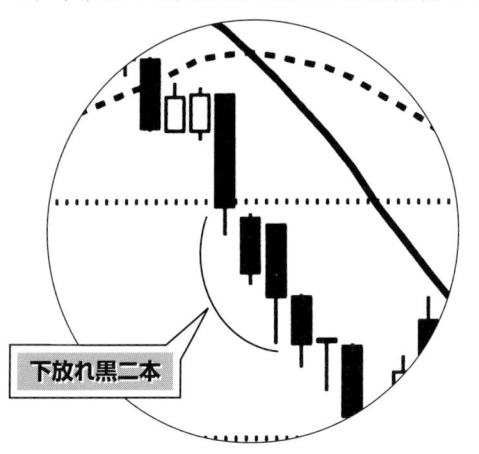

下放れ黒二本

（9）下げの三つ星

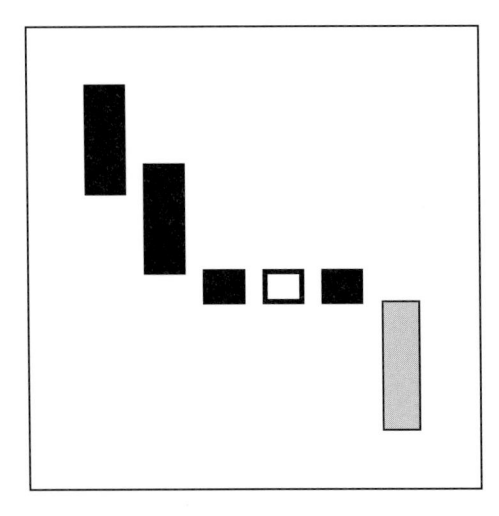

◎相場の環境と足型の特徴

「三つ星」とは、相場の流れが一時的に止まり、小陽線・小陰線などが3本連続するもの。相場の下落途上で出現した場合が「下げの三つ星」。

◎買い手の行動と心理状態

下落相場が小康状態を迎え、投資家の失望感はやや和らぎます。しかし、相場が反発に転じる気配はなく、上昇期待感は霧消し始めます。

◎状況分析と相場の暗示

持ち値（購入価格）の悪い買い建て玉（ロングポジション）が追いつめられています。相場がいっこうに反発する気配を見せてこないのは、投資家から利食いなどの売り注文が断続的に持ち込まれていることによるものですが、一方で相場の先高を期待する強気な投資家や現在の株価に値頃感を持つ一部の投資家などが買い注文を入れているため、相場はかろうじて支えられているといった状態です。

相場が天井を打った後の比較的早い段階でのもみ合いは、こうした売買が交錯する間に市場全体の平均購入価格を押し上げてしまいます。また、株価が下落してきているにもかかわらず、市場の買い建て残高はそれほど減少してきていないことにもなります（投資家が入れ替わっているだけ）。

悪材料が出現した場合や相場が一定の水準を割り込んでしまう際に、「忍」の一字で耐えている投資家などからの投げ売りがいっせいに持ち込まれる可能性が高まったといえます。

もみ合い圏でつけた安値を更新して引けた場合には、買い建て玉を直ちに手仕舞うことを検討してください。

◎実　例

上は山武（6845）の週足です。1999年10月から11月にかけて、下落相場の途中で「下げの三つ星」が出現しました。もみ合い圏の下放れ時に相場は急落しています。

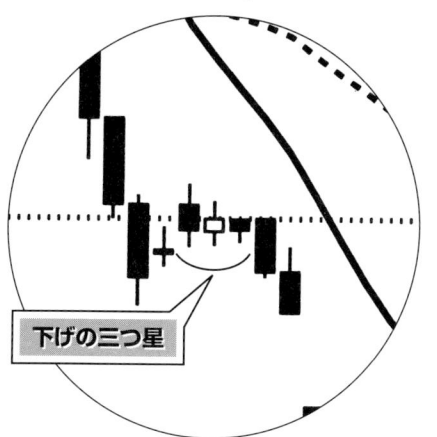

下げの三つ星

(10) 上位の陰線五本

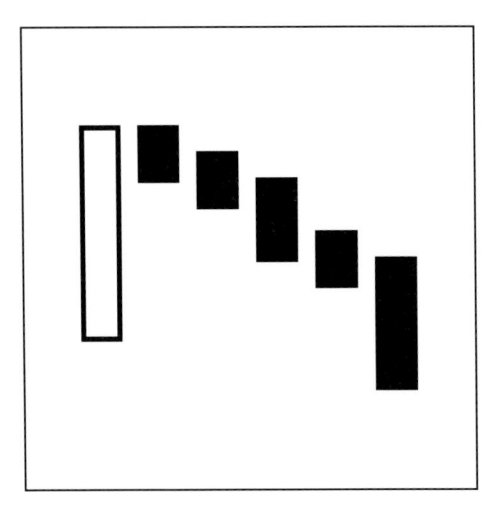

◎相場の環境と足型の特徴

　上昇相場の途中、陰線が連続して出現するもの。

◎買い手の行動と心理状態

　株価が下落するに従い、投資家の上昇期待感は大きく後退し、失望感に振り替わっていきます。買い建て玉（ロングポジション）を圧縮するための売り注文が継続して持ち込まれます。

◎状況分析と相場の暗示

　投資家が達成感を抱く一方で、同時に高値警戒感も生じてきており、利食いなどの売り注文が断続的に持ち込まれ始めた状態です。投げ売りを促すような材料は見られないことから、売りそびれてしまったり相場の戻りを期待して成り行きを見守っている投資家も数多く存在します。

　また、押し目では値頃感から新規に株式を購入する投資家もおり、市場の買い建て残高は相場が下落した割りにはそれほど減少していません。

　相場の下落ピッチは緩慢ですが、よほどの好材料が支援しない限り、反発は見込みにくい状況になってしまったといえます。

　なお、相場が一定水準を下回ってしまうと、下げが加速することがありますが、これは多数の投資家の含み益がゼロまたはマイナス（含み損）に転じてしまったことで、大量の売り注文を持ち込まざるを得なくなるためと考えることができます。

「利食い千人力」[注]を実感する局面です。

【利食い千人力】利食いは千人の味方を得たのと同じ、という意味の相場格言。逆にいえば、利食いはそれだけ難しいということ。

◎実　例

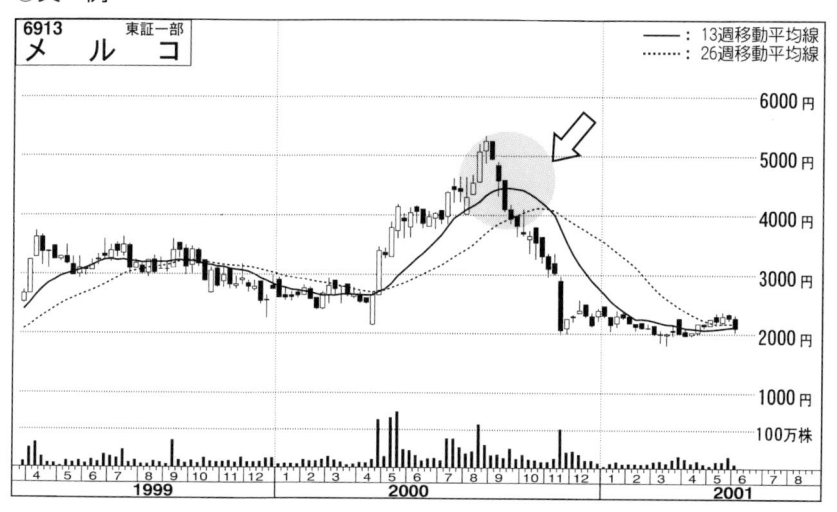

[チャート: 6913 メルコ 東証一部、13週移動平均線・26週移動平均線]

　上はメルコ（6913）の週足です。2000年4月から8月にかけて上昇を続けてきた相場ですが、9月の第1週から陰線が連続してしまいます。「上位の陰線五本」が発生、相場は下落を続けました。
　なお、11月第3週には急落を見せています。

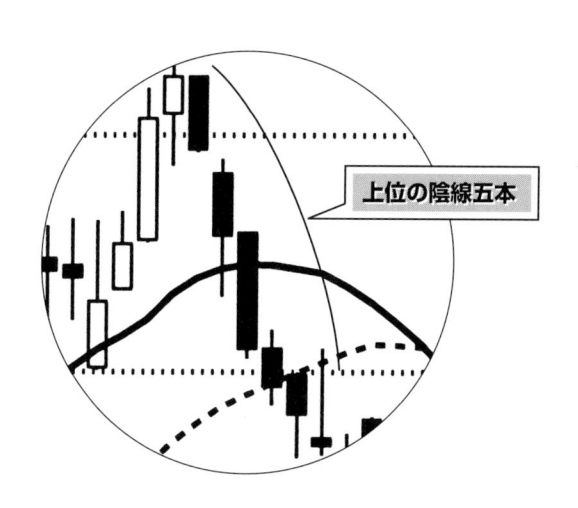

[拡大図: 上位の陰線五本]

(11) 寄り切り陰線

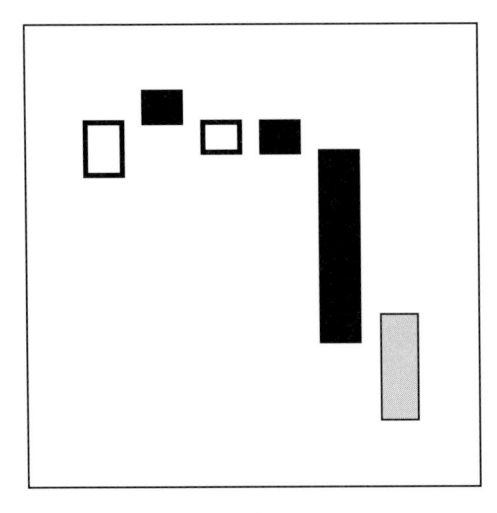

◎相場の環境と足型の特徴

高値圏で、突如「陰の丸坊主」や「陰の寄り付き坊主」を出現させたもの。

◎買い手の行動と心理状態

もみ合い圏が続いた後、大陰線を出現させての相場の下落は、投資家を絶望の淵に追いやります。狼狽的な売りが殺到します。

◎状況分析と相場の暗示

市場に相場の上昇を抑制してしまうようなデマ・うわさなどが流れ始めたことから、適宜利食いなどが入り上値を重くしてしまったと考えられます。そして投資家はデマ・うわさの真相を確かめようと取引を手控えたために商いが細り、もみ合い圏を形成しました。

その後、明らかになったデマ・うわさの真相は投資家の期待を大きく裏切るもので、相場にとっては強烈なネガティブインパクトとなり、買い建て玉（ロングポジション）を処分する動きが加速、「陰の寄り付き坊主」を発生させたものと推測されます。

上昇相場がしばらく続いた後の「陰の寄り付き坊主」はいかにも後味が悪く、投資家に絶望感を抱かせます。

一般的には、市場に存在する買い建て残高がほぼ解消され、かつファンダメンタルズに照らし株価が妥当であるとみなされる水準まで、相場の下落は続きます。

「利食い千人力」です。早急な手仕舞い売りが望まれます。

◎実　例

 上はヤクルト本社（2267）の週足です。1999年10月第2週に相場の高値圏で突如「陰の寄り付き坊主」が出現しました。「寄り切り陰線」となり、相場は一段安となっています。

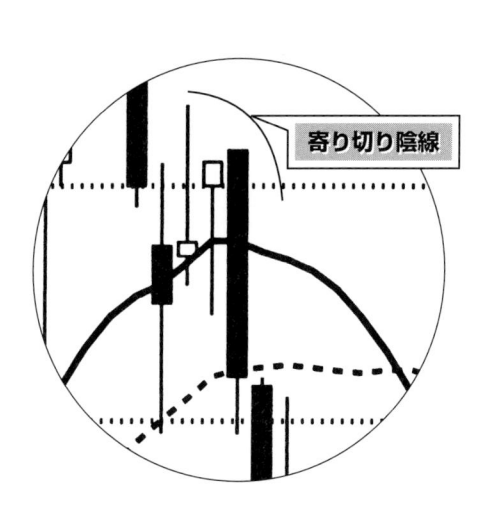

あとがき

　いかがでしたか。
　チャートの奥深い世界を知って、より一層相場への理解が深まり、今後の取引に向けての自信が生まれ始めたのではないでしょうか。
　一般的な投資家が判断を迷う局面においても、本書を熟読した後のあなたなら以前にもまして冷静な判断が下せるはずです。
　「利食いか、買い増しか」、あるいは「耐えるか、諦めるか」、「ローソク足」チャートは常に的確な答えを導いてくれることでしょう。
　本書が、相場取引のエキスパートを目指す方々の指針の一端となれば幸いです。

　本書の発刊にこぎつけるまでに多大な労力を惜しみなく費やしてくださった、日本実業出版社第一編集部の今井康祐氏に深謝致します。
　また、私のあまりに堅苦しい文章を読者に馴染みやすい表現にたびたび補正してくれた妻・美加、そして、本書の完成を心から待ち望んでいてくれた長女・真彩にも感謝したい。

著者

きくいん

■あ行■

- 赤三兵 ……………………………… 86
- 明けの明星 ……………………… 58
- 上げ三法 …………………………… 94
- 上げの差し込み線 ……………… 92
- 上げの三つ星 …………………… 104
- 足長クロス ……………………… 40
- 抱き陰線 ………………………… 134
- 抱き陽線 ………………………… 82
- 抱く ……………………………… 132
- 一服 ……………………………… 75
- 一本線 …………………………… 40
- 陰線 ……………………………… 34
- 陰の陰はらみ …………………… 68
- 陰の大引け坊主 ………………… 37
- 陰のカラカサ …………………… 39
- 陰のコマ ………………………… 39
- 陰の丸坊主 ……………………… 37
- 陰の寄り付き坊主 ……………… 37
- 売り建て玉 ……………………… 48
- 上影陰線 ………………………… 39
- 上影陽線 ………………………… 38
- 上値追い ………………………… 62
- 上値が重い ……………………… 104
- 上放れ陰線二本連続 …………… 108
- 上放れタスキ …………………… 100
- 大引け …………………………… 44
- 押え込み線 ……………………… 90
- 押し込み ………………………… 92
- 押し目 …………………………… 86
- 終値 ………………………… 34, 44

■か行■

- 買い仕掛け ……………………… 136
- 買い建て残高 …………………… 16
- 下位の陽線五本 ………………… 88
- 影 ………………………………… 34
- カブセ …………………………… 96
- カブセの上抜け ………………… 96
- 逆襲線 …………………………… 80
- 逆日歩 …………………………… 114
- ギャップアップ ………………… 58
- ギャップダウン ………………… 58
- 首吊り線 ………………………… 124
- クロス …………………………… 40
- 下落途上の連続タスキ ………… 150
- 小幅上放れ黒線 ………………… 74
- 小戻し …………………………… 81
- 小緩む …………………………… 68

■さ行■

- 最後の抱き陰線 ………………… 56
- 最後の抱き陽線 …………… 48, 132
- 材料 ……………………………… 148
- 下げ足 …………………………… 123
- 下げ足のクロス ………………… 154
- 下げ三法 ………………………… 146
- 下げの三つ星 …………………… 158
- 差し込み線 ……………………… 142
- 三空叩き込み …………………… 52
- 三空踏み上げ …………………… 114
- 三手打ち ………………………… 148
- 三手大陰線 ……………………… 54
- 三手放れ寄せ線 ………………… 118
- 三羽ガラス ……………………… 122
- 示現 ……………………………… 64
- 下影陰線 ………………………… 39
- 下影陽線 ………………………… 38
- 下放れ黒二本 …………………… 156
- 下放れ三手 ……………………… 144
- 実体 ……………………………… 34
- 週足 ……………………………… 34
- 十字線 …………………………… 40
- 上位の陰線五本 ………………… 160
- 上位の上放れ陰線 ……………… 126
- 上位の連続大陽線 ……………… 110
- 小陰線 …………………………… 39

さくいん

上伸途上のクロス……………………102
上伸途上の連続タスキ………………98
小反発………………………………71
小陽線………………………………38
ショートポジション…………………48
新高値………………………………116
新値八手利食い線……………………116
捨て子底……………………………60
勢力線………………………………66

■ た行 ■

大陰線………………………………37
大陰線のはらみ寄せ…………………62
大陽線…………………………36, 48
高値…………………………………34
高値追い……………………………17
たくり線……………………………64
タスキ………………………………98
打診買い……………………………54
建て玉………………………………11
月足…………………………………34
つたい線……………………………136
つたい線の打ち返し…………………136
手掛かり……………………………84
トウバ………………………………40
トンカチ……………………………40
トンボ………………………………40

■ な行 ■

波高い線……………………………112
並び赤………………………………106
ナンピン買い…………………………29
日経平均株価…………………………30
二番天井……………………………135
値頃感………………………………70

■ は行 ■

化け線………………………………152
放れ五手赤一本………………………138
放れ五手黒一本底……………………70
放れ七手大黒…………………………140
放れ七手の変化底……………………76
はらむ………………………………62

バンド・ワゴン効果…………………17
日足…………………………………34
引け値…………………………34, 44
ヒゲ…………………………………34
ファンダメンタルズ…………………12
星……………………………………58

■ ま行 ■

マド…………………………………41
マド開け……………………………41
三つ星………………………………104
持ち値………………………………23
戻り高値……………………………55
もみ合い……………………………59

■ や行 ■

やぐら底……………………………72
安値…………………………………34
行き詰まり線……………………46, 120
宵の明星……………………………128
陽線…………………………………34
陽線引け……………………………47
陽の大引け坊主………………………36
陽のカラカサ…………………………38
陽のコマ……………………………38
陽の丸坊主…………………………36
陽の陽はらみ…………………………130
陽の寄り付き坊主…………………36, 45
予断のワナ…………………………15
寄り切り陰線………………………162
寄り切り陽線…………………………84
寄り付き値……………………………34
寄り引け同時線………………………40
弱もみ合い…………………………39

■ ら行 ■

利食い千人力………………………160
連続下げ放れ三つ星…………………78
連続線………………………………90
ローソク足…………………………34
ロングポジション……………………16

小澤　實（おざわ　みのる）
1962年1月長野県生まれ。慶應義塾大学卒業。三井住友銀行にて、東京・ロンドンでの外国為替・デリバティブ取引に従事した経験を活かし、プライベート・バンカーとして活躍。2007年よりUBS銀行にて、クライアント・アドバイザーとしてオーナー系成長企業の企業価値向上アドバイザリー業務、オーナーファミリーの資産管理・運用業務等に携わる。2011年1月バリュークリエイトパートナーズ設立、代表取締役。Bloombergはじめ市場取引関連メディアへの相場分析・相場予測など多数掲載。

〈相場に勝つ〉ローソク足チャートの読み方

2002年7月20日　初版発行
2025年9月1日　第34刷発行

著　者　小澤　實　©M. Ozawa 2002
発行者　杉本淳一

発行所　株式会社 日本実業出版社　東京都新宿区谷本村町3－29 〒162-0845
　　　　編集部 ☎03-3268-5651
　　　　営業部 ☎03-3268-5161　振替 00170-1-25349
　　　　https://www.njg.co.jp/

印刷／厚徳社　　製本／共栄社

この本の内容についてのお問合せは、書面かFAX（03-3268-0832）にてお願い致します。
落丁・乱丁本は、送料小社負担にて、お取り替え致します。

ISBN 978-4-534-03431-1　Printed in JAPAN

日本実業出版社の本
投資に強くなる

好評既刊!

下記の価格は消費税（10%）を含む金額です。

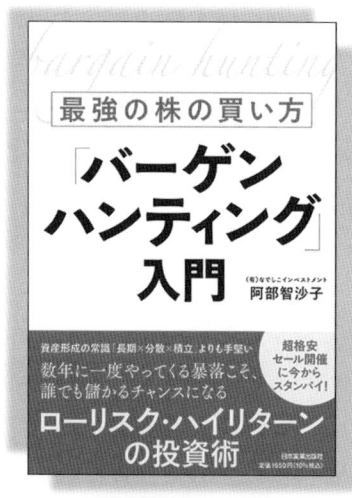

最強の株の買い方「バーゲンハンティング」入門
阿部智沙子＝著
定価 1650円（税込）

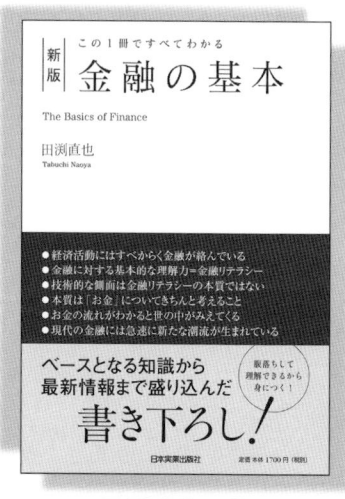

［新版］この1冊ですべてわかる 金融の基本
田渕直也＝著
定価 1870円（税込）

教養としての「金利」
田渕直也＝著
定価 1870円（税込）

［最新版］本当にわかる為替相場
尾河眞樹＝著
定価 1870円（税込）

定価変更の場合はご了承ください。